'사고력수학의 시작'

팡세

pensées

C1

3학년 | 패턴

사고가 자라는 수학

씨투엠

사고력 수학을 묻고
팡세가 답해요

Q: 사고력 수학은 '왜' 해야 하나요?

사고력 수학은 아이에게 낯선 문제를 접하게 함으로써 여러 가지 문제 해결 방법을 아이 스스로 생각하게 하는 것에 목적이 있어요. 정석적인 한 가지 풀이법만 알고 있는 아이는 결국 중등 이후에 나오는 응용 문제에 대한 해결력이 현저히 떨어지게 되지요. 반면 사고력 수학을 통해 여러 가지 풀이법을 스스로 생각하고 알아낸 경험이 있는 아이들은 한 번 막히는 문제도 다른 방법으로 뚫어낼 힘이 생기게 된답니다. 이러한 힘을 기르는 데 있어 사고력 수학이 가장 크게 도움이 된다고 확신해요.

Q: 사고력 수학이 '필수'인가요?

No but Yes! 초등 수학에서 가장 필수적인 것은 교과와 연산이지요. 또 중등에서의 서술형 평가를 대비하기 위한 서술형 학습과 어려운 중등 도형을 헤쳐나가기 위한 도형 학습 정도를 추가하면 돼요. 사고력 수학은 그 다음으로 중요하다고 할 수 있어요. 다만 만약 중등 이후에도 상위권을 꾸준하게 유지하겠다고 하시면 사고력 수학은 필수랍니다.

Q: 사고력 수학, 꼭 '어려운' 문제를 풀어야 하나요?

No! 기존의 사고력 수학 교재가 어려운 이유는 영재교육원 입시 때문이었어요. 상위권 중에서도 더 잘하는 아이, 즉 영재를 골라내는 시험에 사고력수학 문제가 단골로 출제되었고, 이에 대비하기 위해 만들어진 것이 초창기 사고력 수학 교재이지요. 하지만 모든 아이들이 영재일 수는 없고, 또 그래야할 필요도 없어요. 사고력 수학으로 영재를 확실하게 선별할 수 있는 것도 아니에요. 따라서 사고력 수학의 원래 목적, 즉 새로운 문제를 풀 수 있는 능력만 기를 수 있다면 난이도는 중요하지 않답니다. 오히려 어려운 문제는 수학에 대한 아이들의 자신감을 떨어뜨리는 부작용이 있다는 점! 반드시 기억해야 해요.

Q: 사고력 수학 학습에서 어떤 점에 '유의'해야 할까요?

가장 중요한 것은 아이가 스스로 방법을 생각할 수 있는 시간을 충분히 주는 거예요. 엄마나 선생님이 옆에서 방법을 바로 알려주거나 해답지를 줘버리면 사고력 수학의 효과는 없는 거나 마찬가지랍니다. 설령 문제를 못 풀더라도 아이가 스스로 고민하는 습관을 가지고, 방법을 찾아가는 시간을 늘리는 것이 아이의 문제해결력과 집중력을 기르는 방법이라고 꼭 새기며 아이가 스스로 발전할 수 있는 가능성을 믿어 보세요.

또 하나 더 강조하고 싶은 것은 문제의 답을 모두 맞힐 필요가 없다는 거예요. 사고력 수학 문제를 백점 맞는다고 해서 바로 성적이 쑥쑥 오르는 것이 아니에요. 사고력 수학은 훗날 아이가 더 어려운 문제를 풀기 위한 수학적 힘을 기르는 과정으로 봐야 하는 거지요. 그러니 아이가 하나 맞히고 틀리는 것에 일희일비하지 말고 우리 아이가 문제를 어떤 방법으로 풀려고 했고, 왜 어려워 하는지 표현하게 하는 것이 훨씬 중요하답니다. 사고력 수학은 문제의 결과인 답보다 답을 찾아가는 과정 그 자체에 의미가 있다는 사실을 꼭! 꼭! 기억해 주세요.

팡세의 구성과 특징

1. 패턴, 퍼즐과 전략, 유추, 카운팅 - 새로운 시대에 맞는 새로운 사고력 영역!

2. 아이가 혼자서도 술술 풀어나가며 자신감을 기르기에 딱 좋은 난이도!

3. 하루 10분 1장만 풀어도 초등에서 꼭 키워야 하는 사고력을 쑥쑥!

일일 소주제 학습

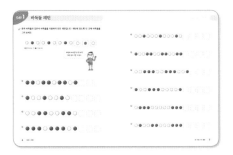

하루에 10분씩 매일 1장씩만 꾸준히 풀면 돼.

주차별 확인학습

5일 동안 배운 것 중 가장 중요한 문제를 복습하는 거야!

월간 마무리 평가

4주 동안 공부한 내용 중 어디가 부족한지 알 수 있다. 삐리삐리~

이 책의 차례

C1

pensées

여러 가지 패턴

흰색 바둑돌과 검은색 바둑돌을 이용하여 만든 패턴입니다. 패턴에 맞도록 빈 곳에 바둑돌을 그려 보세요.

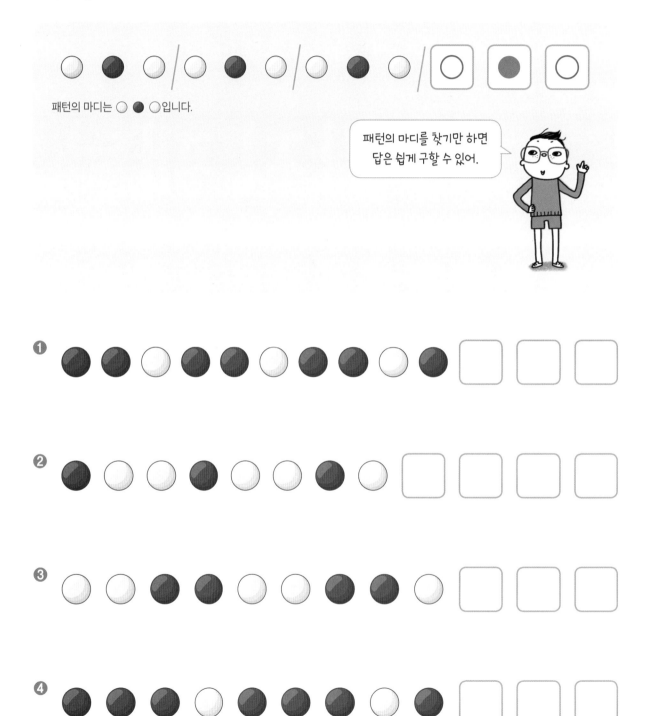

⑤

⑥

⑦

⑧

⑨

⑩

✏️ 규칙을 찾아 빈 곳에 알맞은 모양에 ◯표 하세요.

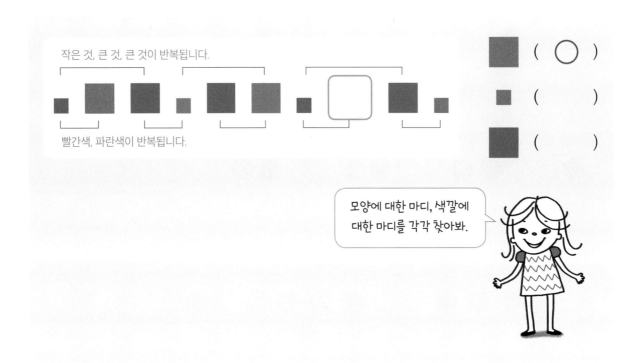

작은 것, 큰 것, 큰 것이 반복됩니다.

빨간색, 파란색이 반복됩니다.

모양에 대한 마디, 색깔에 대한 마디를 각각 찾아봐.

❶

❷

❸

● ♥ ● ◆ ● ♥ ● ◆ ● ☐ ● ◆

♥ (   )

◆ (   )

♥ (   )

❹

● (   )

● (   )

● (   )

❺

▲ (   )

▲ (   )

▲ (   )

❻

■ (   )

■ (   )

■ (   )

회전 이중 패턴

✏️ 규칙을 찾아 빈 곳을 알맞게 완성하세요.

● 모양은 ↘ 방향으로 1칸씩 이동하고, ■ 모양은 ↙ 방향으로 2칸씩 이동합니다.

모양별로 규칙을
따로 생각해 봐.

❶

❷

❸

④

⑤

⑥

⑦

⑧

□번째 모양 구하기 (1)

✏️ 규칙을 찾아 빈 곳에 알맞은 모양을 그려 보세요.

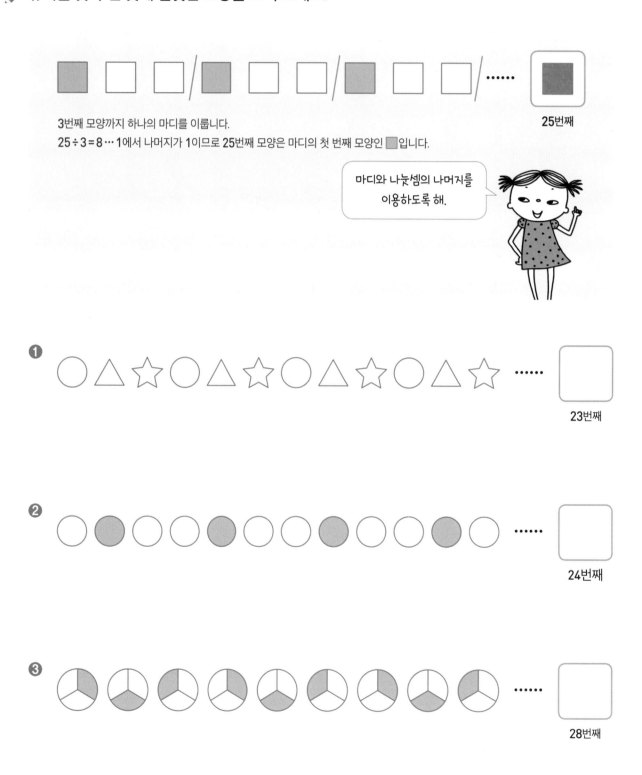

3번째 모양까지 하나의 마디를 이룹니다.
25÷3=8…1에서 나머지가 1이므로 25번째 모양은 마디의 첫 번째 모양인 ▦입니다.

마디와 나눗셈의 나머지를
이용하도록 해.

❶　　23번째

❷　　24번째

❸　　28번째

④

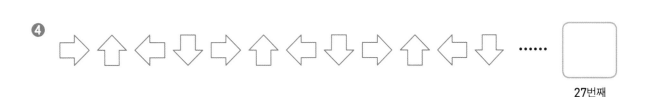

27번째

⑤

28번째

⑥

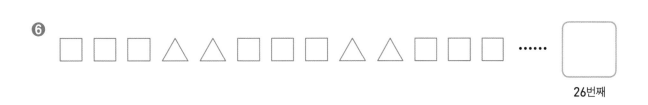

26번째

⑦

29번째

⑧

30번째

□번째 모양 구하기 (2)

✏️ 규칙을 찾아 빈 곳에 알맞은 모양을 그려 보세요.

흰색, 파란색이 반복됩니다.

◇, ☆, ○이 반복됩니다.

① **색깔**: 2번째 색깔까지 하나의 마디를 이룹니다.
  16 ÷ 2 = 8에서 나머지가 **0**이므로 **16**번째 색깔은 마디의 마지막(두 번째) 색깔인 파란색입니다.

② **모양**: 3번째 모양까지 하나의 마디를 이룹니다.
  16 ÷ 3 = 5 ⋯ 1에서 나머지가 **1**이므로 **16**번째 모양은 마디의 첫 번째 모양인 ◇입니다.

16번째

먼저 색깔에 대한 마디,
모양에 대한 마디를
각각 찾아봐.

❶

17번째

❷

15번째

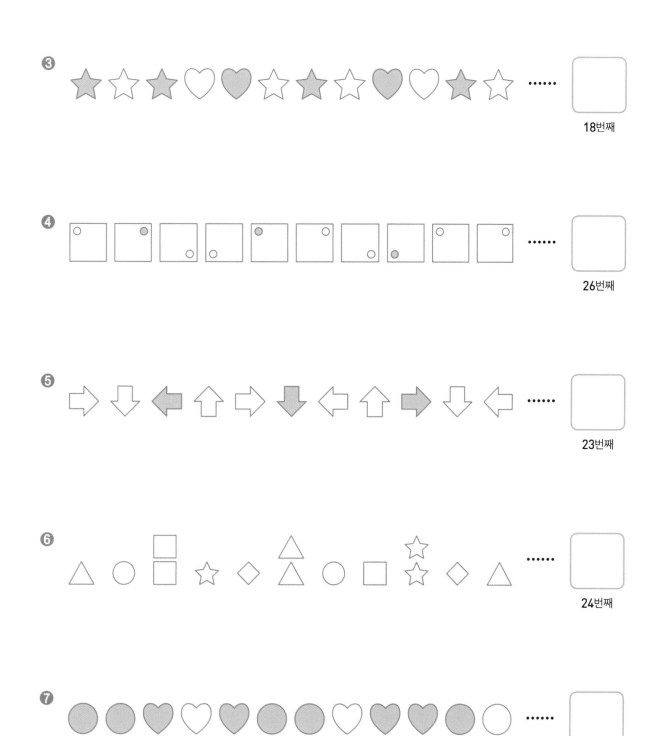

❸ ☆ ☆ ★ ♡ ♥ ☆ ★ ☆ ♥ ♡ ★ ☆ ······ ⬜

18번째

❹ ······ ⬜

26번째

❺ ······ ⬜

23번째

❻ ······ ⬜

24번째

❼ ······ ⬜

30번째

✏️ 규칙을 찾아 빈 곳에 알맞은 모양을 그려 보세요.

❶

20번째

❷

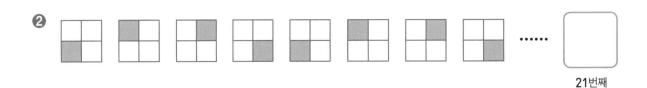

21번째

❸

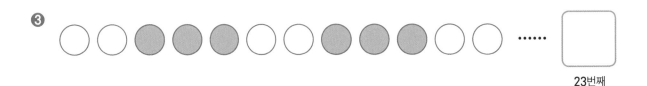

23번째

✏️ 규칙을 찾아 빈 곳에 알맞은 모양을 그려 보세요.

❹

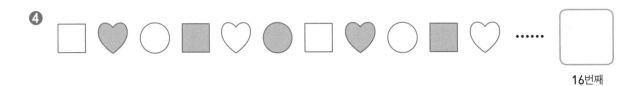

16번째

❺

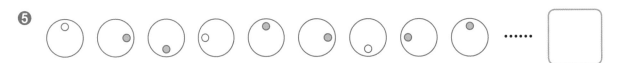

19번째

여러 가지 수열

✏️ 수열입니다. ☐ 안에 알맞은 수를 써넣으세요.

❶ 1,　2,　7,　1,　2,　7,　1,　2,　7,　☐

❷ 2,　4,　6,　8,　2,　4,　6,　8,　2,　☐

❸ 3,　7,　11,　15,　19,　23,　27,　☐

❹ 1,　9,　17,　25,　33,　41,　49,　☐

❺ 58,　52,　46,　40,　34,　28,　22,　☐

❻ 72,　65,　58,　51,　44,　37,　30,　☐

❼ 2, 4, 8, 16, 32, 64, ☐

❽ 1, 3, 9, 27, 81, ☐

❾ 1, 2, 5, 10, 17, 26, 37, 50, ☐

❿ 2, 4, 9, 17, 28, 42, 59, 79, ☐

⓫ 50, 48, 45, 41, 36, 30, 23, 15, ☐

⓬ 70, 67, 63, 58, 52, 45, 37, 28, ☐

📝 규칙에 맞게 수열을 완성하세요.

규칙: 1부터 순서대로 같은 수를 곱합니다.

1, **4,** **9,** 16 , 25 , 36 , 49 , 64

↑　　↑　　↑　　↑　　　　↑
1×1　2×2　3×3　4×4　　5×5　　……

다양한 방법으로
수열을 나타낼 수 있어.

❶ 규칙: 1 × 2, 2 × 3, 3 × 4 …… 와 같이 연속된 두 수를 곱합니다.

2, 　6, 　12, 　20, 　☐ , 　☐ , 　☐ , 　☐

❷ 규칙: 곱하는 수가 1부터 1씩 커집니다.

1, 　1, 　2, 　6, 　☐ , 　☐

❸

규칙: 수의 개수만큼 나열합니다.

1, 2, 2, 3, 3, 3, ☐, ☐, ☐, ☐

❹

규칙: 6의 단 곱셈구구 결과를 숫자 하나씩 나열합니다.

6, 1, 2, 1, 8, ☐, ☐, ☐, ☐

❺

규칙: 7의 단 곱셈구구 결과를 일의 자리 숫자만 나열합니다.

7, 4, 1, ☐, ☐, ☐, ☐, ☐

❻

규칙: 앞의 세 수의 합이 그 다음 수입니다.

1, 1, 1, 3, 5, ☐, ☐, ☐, ☐

❼

규칙: 앞의 두 수의 곱이 그 다음 수입니다.

1, 2, 2, 4, ☐, ☐, ☐

✏️ 이어서 올 수열을 찾아 선으로 이어 보세요.

1

4, 2, 6, 4, 2   2, 8, 3, 5

2

3, 4, 6, 9   48, 240

3

7, 1, 4, 2, 1   6, 4, 2, 6

4

1, 3, 4, 7   13, 18, 24, 31

5

2, 2, 4, 12   11, 18, 29, 47

❻ 8, 15, 22, 29   4, 3, 2, 1, 5, 4

❼ 1, 4, 9, 16   36, 43, 50, 57

❽ 1, 2, 1, 3, 2, 1   1, 4, 7, 0

❾ 1, 9, 16, 22   25, 36, 49, 64

❿ 3, 6, 9, 2, 5, 8   27, 31, 34, 36

여러 가지 수열

✏️ 수열입니다. ☐ 안에 알맞은 수를 써넣으세요.

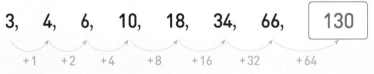

3, 4, 6, 10, 18, 34, 66, 130

+1 +2 +4 +8 +16 +32 +64

더하는 수가 **1**부터 **2**배씩 늘어납니다.

규칙을 먼저 찾아보자.

❶ 1, 2, 5, 14, 41, 122, ☐

❷ 1, 8, 5, 12, 9, 16, 13, 20, 17, ☐

❸ 3, 5, 10, 12, 24, 26, 52, 54, ☐

④ 1,　8,　27,　64,　125,　☐

⑤ 9,　1,　8,　2,　7,　3,　6,　4,　5,　5,　☐

⑥ 1,　1,　2,　1,　1,　2,　3,　2,　1,　1,　2,　3,　4,　3,　☐

⑦ 1,　1,　2,　4,　7,　13,　24,　44,　☐

⑧ 1,　3,　3,　9,　27,　☐

두 가지 규칙의 수열

✏️ 수열입니다. ☐ 안에 알맞은 수를 써넣으세요.

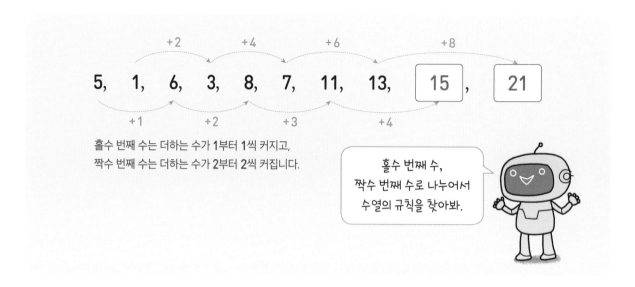

홀수 번째 수는 더하는 수가 1부터 1씩 커지고,
짝수 번째 수는 더하는 수가 2부터 2씩 커집니다.

홀수 번째 수,
짝수 번째 수로 나누어서
수열의 규칙을 찾아봐.

❶ 2, 1, 6, 4, 10, 7, 14, 10, ☐ , ☐

❷ 3, 1, 6, 3, 9, 6, 12, 10, ☐ , ☐

❸ 3, 1, 5, 2, 8, 4, 12, 8, ☐ , ☐

❹ 3,　3,　3,　7,　6,　11,　18,　15,　□,　□

❺ 1,　12,　2,　16,　6,　24,　24,　36,　□,　□

❻ 1,　2,　3,　3,　5,　5,　7,　9,　9,　17,　□,　□

❼ 1,　4,　1,　5,　2,　6,　3,　7,　5,　8,　□,　□

❽ 1,　4,　3,　8,　4,　12,　7,　16,　11,　20,　□,　□

✏️ 수열입니다. ☐ 안에 알맞은 수를 써넣으세요.

❶ 2,   3,   5,   9,   17,   33,   65,   ☐

❷ 8,   1,   6,   2,   4,   3,   2,   4,   0   4,   ☐

❸ 1,   2,   2,   4,   8,   32,   ☐

✏️ 수열입니다. ☐ 안에 알맞은 수를 써넣으세요.

❹ 4,   2,   6,   4,   9,   8,   13,   16,   ☐,   ☐

❺ 2,   10,   4,   13,   12,   16,   48,   19,   ☐,   ☐

❻ 1,   6,   2,   12,   3,   18,   5,   24,   8,   30,   ☐,   ☐

3
주차

수열의 합

그림과 합

✏️ 도형의 개수를 이용하여 수열의 합을 구하려고 합니다. ☐ 안에 알맞은 수를 써넣으세요.

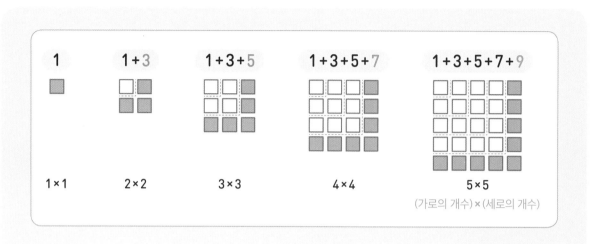

$1+3+5+7+9=5\times5=$ ☐ 25

더하려고 하지마! 도형을 배치해 보면 규칙을 찾을 수 있어.

1

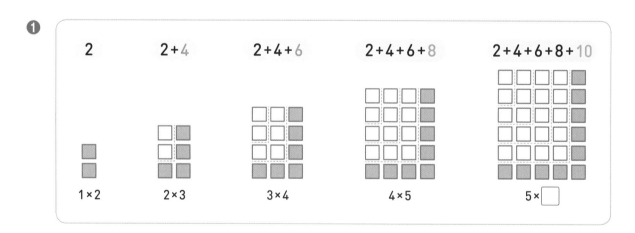

$2+4+6+8+10=5\times$ ☐ $=$ ☐

❷

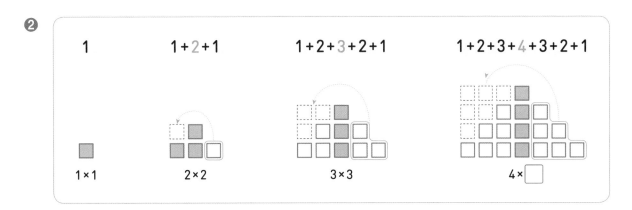

| 1 | 1+2+1 | 1+2+3+2+1 | 1+2+3+4+3+2+1 |

1×1　　2×2　　3×3　　4×□

$$1 + 2 + 3 + 4 + 3 + 2 + 1 = 4 \times \boxed{} = \boxed{}$$

❸

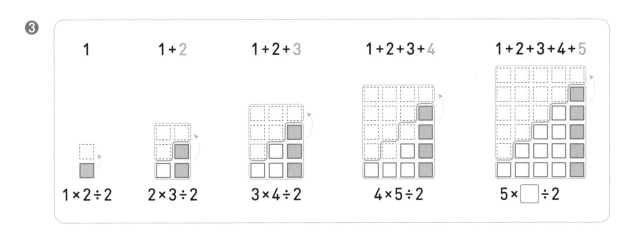

| 1 | 1+2 | 1+2+3 | 1+2+3+4 | 1+2+3+4+5 |

1×2÷2　　2×3÷2　　3×4÷2　　4×5÷2　　5×□÷2

$$1 + 2 + 3 + 4 + 5 = 5 \times \boxed{} \div 2 = \boxed{}$$

✏️ 수열의 합을 곱셈을 이용하여 구하려고 합니다. ☐ 안에 알맞은 수를 써넣으세요.

1부터 시작하는 홀수의 합: (수의 개수) × (수의 개수)

$1+3+5+7+9+11 =$ ☐6 × ☐6 = ☐36

2부터 시작하는 짝수의 합: (수의 개수) × (수의 개수 + 1)

$2+4+6+8+10+12 =$ ☐6 × ☐7 = ☐42

1부터 시작하는 수의 합: (수의 개수) × (수의 개수 + 1) ÷ 2

$1+2+3+4+5+6 =$ ☐6 × ☐7 ÷ ☐2 = ☐21

연속수, 연속 홀수는 1부터, 연속 짝수는 2부터 시작하는 수의 합이다.

❶ $1+3+5+7+9+11+13 =$ ☐ × ☐ = ☐

❷ $2+4+6+8+10+12+14+16 =$ ☐ × ☐ = ☐

❸ $1+2+3+4+5+6+7+8+9 =$ ☐ × ☐ ÷ ☐ = ☐

❹ $9 + 11 + 13 + 15 + 17$

$= (1 + 3 + 5 + 7 + 9 + 11 + 13 + 15 + 17) - (1 + 3 + 5 + 7)$

$= (9 \times \boxed{}) - (4 \times \boxed{}) = \boxed{} - \boxed{} = \boxed{}$

괄호 ( )가 있는 식은
괄호 안을 먼저 계산해.

❺ $5 + 7 + 9 + 11 + 13 + 15 + 17 + 19 + 21$

$= (1 + 3 + 5 + 7 + 9 + 11 + 13 + 15 + 17 + 19 + 21) - (1 + 3)$

$= (\boxed{} \times \boxed{}) - (\boxed{} \times \boxed{}) = \boxed{} - \boxed{} = \boxed{}$

❻ $6 + 8 + 10 + 12 + 14$

$= (2 + 4 + 6 + 8 + 10 + 12 + 14) - (2 + 4)$

$= (7 \times \boxed{}) - (2 \times \boxed{}) = \boxed{} - \boxed{} = \boxed{}$

❼ $8 + 10 + 12 + 14 + 16 + 18 + 20 + 22$

$= (2 + 4 + 6 + 8 + 10 + 12 + 14 + 16 + 18 + 20 + 22) - (2 + 4 + 6)$

$= (\boxed{} \times \boxed{}) - (\boxed{} \times \boxed{}) = \boxed{} - \boxed{} = \boxed{}$

❽ $4 + 5 + 6 + 7 + 8 + 9 + 10$

$= (1 + 2 + 3 + 4 + 5 + 6 + 7 + 8 + 9 + 10) - (1 + 2 + 3)$

$= (10 \times \boxed{} \div 2) - (3 \times \boxed{} \div 2) = \boxed{} - \boxed{} = \boxed{}$

✏️ 더하는 수가 일정한 수열의 ■번째 수를 구하려고 합니다. ☐ 안에 알맞은 수를 써넣으세요.

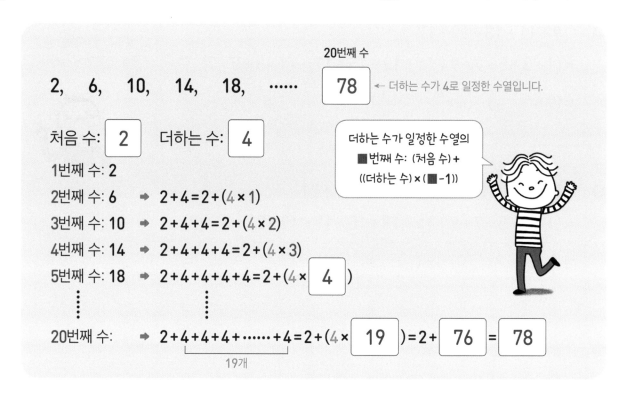

20번째 수

2, 6, 10, 14, 18, …… **78** ← 더하는 수가 4로 일정한 수열입니다.

처음 수: **2**   더하는 수: **4**

더하는 수가 일정한 수열의
■번째 수: (처음 수) +
((더하는 수) × (■−1))

1번째 수: 2
2번째 수: 6 ➡ 2+4=2+(4×1)
3번째 수: 10 ➡ 2+4+4=2+(4×2)
4번째 수: 14 ➡ 2+4+4+4=2+(4×3)
5번째 수: 18 ➡ 2+4+4+4+4=2+(4× **4**)

20번째 수: ➡ 2+4+4+4+……+4=2+(4× **19**)=2+ **76** = **78**

19개

20번째 수

❶ 1, 3, 5, 7, 9, …… ☐

처음 수는 1, 더하는 수는 2이므로

20번째 수: 1+(2× ☐)=1+ ☐ = ☐

20번째 수

❷ 3, 8, 13, 18, 23, …… ☐

처음 수는 3, 더하는 수는 5이므로

20번째 수: 3+(5× ☐)=3+ ☐ = ☐

❸ 1,   4,   7,   10,   13,   ······   30번째 수 [　　]

처음 수는 [　], 더하는 수는 [　] 이므로

30번째 수: [　] + ([　] × [　]) = [　]

❹ 3,   9,   15,   21,   27,   ······   30번째 수 [　　]

처음 수는 [　], 더하는 수는 [　] 이므로

30번째 수: [　] + ([　] × [　]) = [　]

❺ 10,   12,   14,   16,   18,   ······   30번째 수 [　　]

❻ 16,   23,   30,   37,   44,   ······   25번째 수 [　　]

❼ 7,   15,   23,   31,   39,   ······   50번째 수 [　　]

더하는 수가 일정한 수열의 합 (1)

✏️ 더하는 수가 일정한 수열의 합을 구하려고 합니다. ☐ 안에 알맞은 수를 써넣으세요.

$1+4+7+10+13$ → 더하는 수가 3으로 일정한 수열입니다.

$$1 \quad + \quad 4 \quad + \quad 7 \quad + \quad 10 \quad + \quad 13$$
$$+ \quad 13 \quad + \quad 10 \quad + \quad 7 \quad + \quad 4 \quad + \quad 1$$
→ 거꾸로 나열하였습니다.
$$\overline{14 \quad + \quad 14 \quad + \quad 14 \quad + \quad 14 \quad + \quad 14} = 14 \times 5 = 70$$

(처음 수) + (마지막 수)　　　　　　　수의 개수

더하는 수가 일정한 수열의 합:
((처음 수) + (마지막 수))
× (수의 개수) ÷ 2

70은 수열을 두 번 더한 것이므로 **2**로 나누어야 합니다.

따라서 $1+4+7+10+13 = 70 \div 2 = \boxed{35}$

❶　$1+2+3+4+5+6+7+8+9$

$= (1+9) \times \boxed{} \div 2 = \boxed{} \times \boxed{} \div 2 = \boxed{}$

❷　$1+3+5+7+9+11+13$

$= (1+13) \times \boxed{} \div 2 = \boxed{} \times \boxed{} \div 2 = \boxed{}$

❸　$2+4+6+8+10+12+14+16$

$= (2+16) \times \boxed{} \div 2 = \boxed{} \times \boxed{} \div 2 = \boxed{}$

❹ $8 + 9 + 10 + 11 + 12 + 13$

$= (\boxed{} + \boxed{}) \times \boxed{} \div 2 = \boxed{} \times \boxed{} \div 2 = \boxed{}$

❺ $6 + 8 + 10 + 12 + 14 + 16 + 18$

$= (\boxed{} + \boxed{}) \times \boxed{} \div 2 = \boxed{} \times \boxed{} \div 2 = \boxed{}$

❻ $5 + 8 + 11 + 14 + 17 + 20 + 23 + 26$

$= (\boxed{} + \boxed{}) \times \boxed{} \div 2 = \boxed{} \times \boxed{} \div 2 = \boxed{}$

❼ $3 + 7 + 11 + 15 + 19 + 23 + 27 = \boxed{}$

❽ $5 + 11 + 17 + 23 + 29 = \boxed{}$

❾ $12 + 15 + 18 + 21 + 24 + 27 = \boxed{}$

더하는 수가 일정한 수열의 합 (2)

✏️ 다음 수열의 처음 수부터 **15번째** 수까지의 합을 구하려고 합니다. ☐ 안에 알맞은 수를 써넣으세요.

1,　4,　7,　10,　13,　……

처음 수는 **1**, 더하는 수는 ☐3☐ 이므로

15번째 수: 1 + (☐3☐ × 14) = ☐43☐

따라서 처음 수부터 **15번째** 수까지의 합은

(1 + ☐43☐) × ☐15☐ ÷ 2 = ☐44☐ × ☐15☐ ÷ 2 = ☐330☐

15번째 수를 먼저 구한 후 수열의 합을 구해.

---

❶ 5,　7,　9,　11,　13,　……

처음 수는 **5**, 더하는 수는 ☐ 이므로

15번째 수: 5 + (☐ × ☐) = ☐

따라서 처음 수부터 **15번째** 수까지의 합은

(5 + ☐) × ☐ ÷ 2 = ☐ × ☐ ÷ 2 = ☐

❷ 2,　6,　10,　14,　18,　……

처음 수는 **2**, 더하는 수는 ☐ 이므로

15번째 수: 2 + (☐ × ☐) = ☐

따라서 처음 수부터 **15번째** 수까지의 합은

(2 + ☐) × ☐ ÷ 2 = ☐ × ☐ ÷ 2 = ☐

✎ 다음 수열의 처음 수부터 12번째 수까지의 합을 구하려고 합니다. ☐ 안에 알맞은 수를 써넣으세요.

❸ 7, 13, 19, 25, 31, ……

처음 수는 ☐ , 더하는 수는 ☐ 이므로

12번째 수: ☐ + (☐ × ☐) = ☐

따라서 처음 수부터 12번째 수까지의 합은

(7 + ☐) × ☐ ÷ 2 = ☐ × ☐ ÷ 2 = ☐

❹ 2, 10, 18, 26, 34, ……

처음 수는 ☐ , 더하는 수는 ☐ 이므로

12번째 수: ☐ + (☐ × ☐) = ☐

따라서 처음 수부터 12번째 수까지의 합은

(2 + ☐) × ☐ ÷ 2 = ☐ × ☐ ÷ 2 = ☐

❺ 14, 16, 18, 20, 22, ……

처음 수부터 12번째 수까지의 합: ☐

❻ 9, 12, 15, 18, 21, ……

처음 수부터 12번째 수까지의 합: ☐

✎ 더하는 수가 일정한 수열의 합을 구하세요.

❶ $1 + 4 + 7 + 10 + 13 + 16 + 19 =$ ☐

❷ $8 + 10 + 12 + 14 + 16 + 18 + 20 + 22 =$ ☐

❸ $13 + 17 + 21 + 25 + 29 + 33 =$ ☐

✎ 다음 수열의 처음 수부터 14번째 수까지의 합을 구하세요.

❹ 3, 7, 11, 15, 19, ……

처음 수부터 14번째 수까지의 합: ☐

❺ 2, 5, 8, 11, 14, ……

처음 수부터 14번째 수까지의 합: ☐

4 주차

수열의 활용

실 자르기

✏️ 다음 모양의 실을 그림과 같이 점선 방향으로 잘라 여러 도막으로 나누려고 합니다. 이와 같은 방법으로 10번 자를 때, 실은 모두 몇 도막이 되는지 구해 보세요.

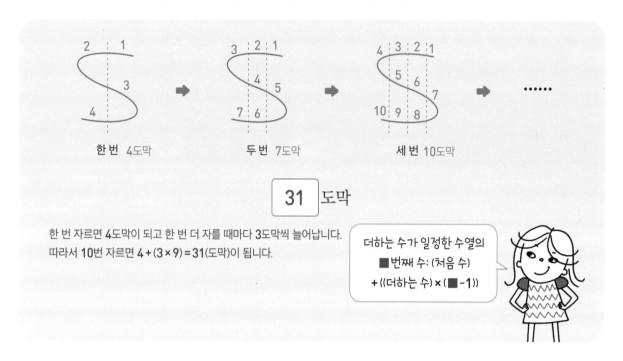

한 번 자르면 **4**도막이 되고 한 번 더 자를 때마다 **3**도막씩 늘어납니다.
따라서 **10**번 자르면 4＋(3×9)＝31(도막)이 됩니다.

더하는 수가 일정한 수열의
■번째 수: (처음 수)
＋((더하는 수)×(■－1))

❶

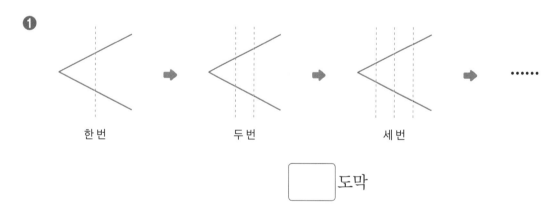

한 번   두 번   세 번

도막

❷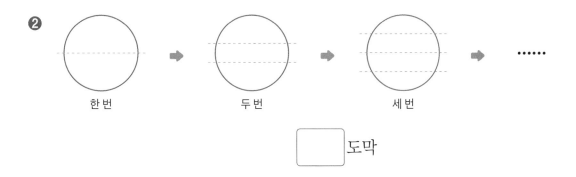

한 번   두 번   세 번

□ 도막

❸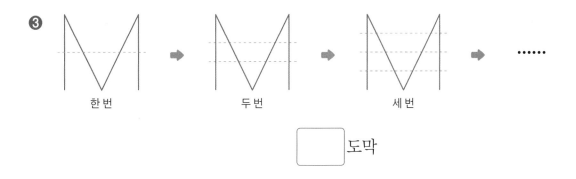

한 번   두 번   세 번

□ 도막

❹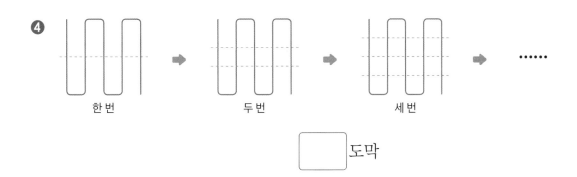

한 번   두 번   세 번

□ 도막

✏️ 규칙에 따라 정사각형으로 모양을 만들었습니다. 8번째 모양에 필요한 정사각형의 개수를 구하세요.

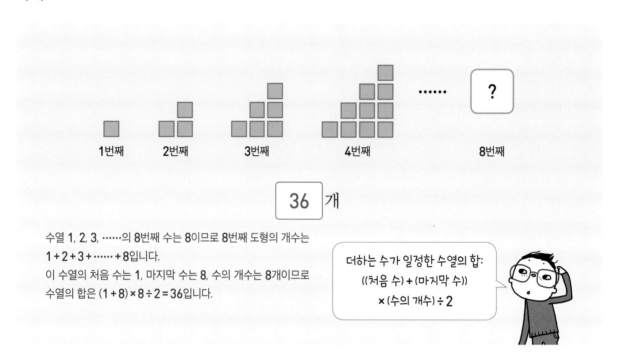

36 개

수열 1, 2, 3, ……의 8번째 수는 8이므로 8번째 도형의 개수는
1+2+3+……+8입니다.
이 수열의 처음 수는 1, 마지막 수는 8, 수의 개수는 8개이므로
수열의 합은 (1+8)×8÷2=36입니다.

더하는 수가 일정한 수열의 합:
((처음 수)+(마지막 수))
×(수의 개수)÷2

❶

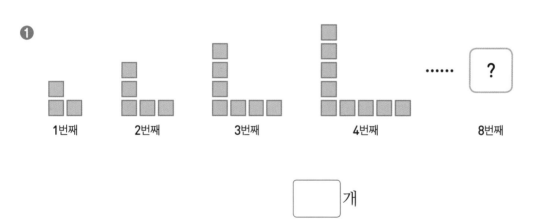

개

❷

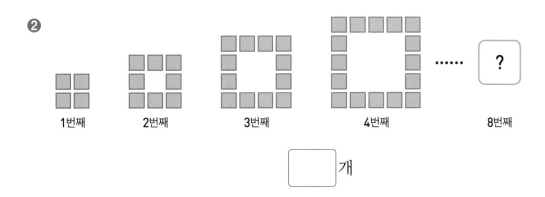

1번째   2번째   3번째   4번째   8번째 ?

□ 개

❸

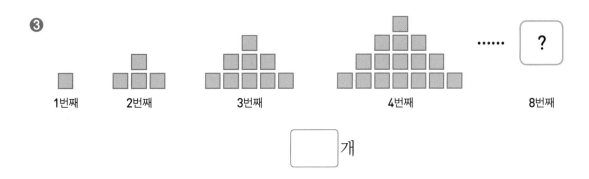

1번째   2번째   3번째   4번째   8번째 ?

□ 개

❹

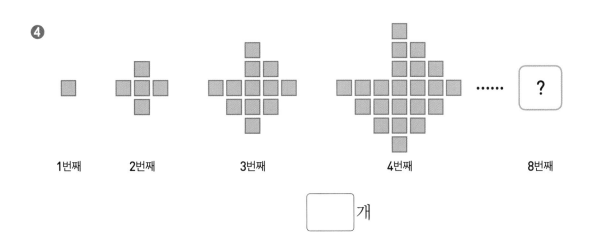

1번째   2번째   3번째   4번째   8번째 ?

□ 개

바둑돌을 규칙에 따라 늘어놓았습니다. 9번째 모양에서 흰색 바둑돌과 검은색 바둑돌의 수를 각각 구하세요.

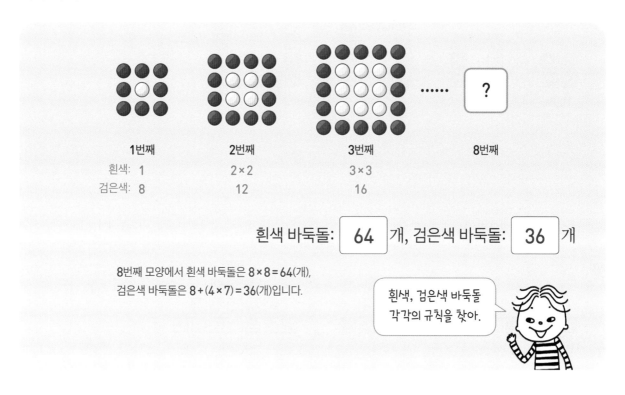

	1번째	2번째	3번째	8번째
흰색:	1	2 × 2	3 × 3	
검은색:	8	12	16	

흰색 바둑돌: **64** 개, 검은색 바둑돌: **36** 개

8번째 모양에서 흰색 바둑돌은 8 × 8 = 64(개),
검은색 바둑돌은 8 + (4 × 7) = 36(개)입니다.

흰색, 검은색 바둑돌
각각의 규칙을 찾아.

❶

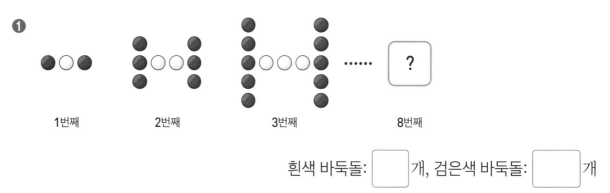

1번째   2번째   3번째   8번째

흰색 바둑돌: ☐ 개, 검은색 바둑돌: ☐ 개

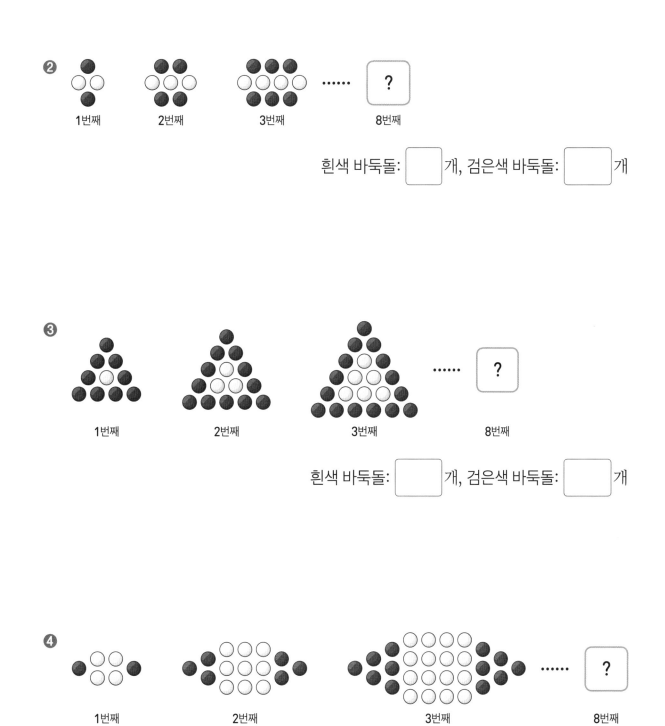

❷

1번째   2번째   3번째   ······   ?   8번째

흰색 바둑돌: ☐ 개, 검은색 바둑돌: ☐ 개

❸

1번째   2번째   3번째   ······   ?   8번째

흰색 바둑돌: ☐ 개, 검은색 바둑돌: ☐ 개

❹

1번째   2번째   3번째   ······   ?   8번째

흰색 바둑돌: ☐ 개, 검은색 바둑돌: ☐ 개

✏️ 바둑돌을 규칙에 따라 늘어놓았습니다. 표를 알맞게 채우세요.

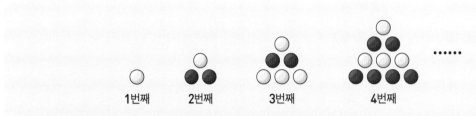

	1번째	2번째	3번째	4번째	......	19번째	20번째
더 많은 바둑돌	흰색	검은색	흰색	검은색	......	흰색	검은색
개수의 차	1	1	2	2	......	10	10

홀수 번째는 흰색 바둑돌이 많고,
짝수 번째는 검은색 바둑돌이 많습니다.

흰색, 검은색 바둑돌 개수의 차를
구한 후 규칙을 찾아봐.

❶

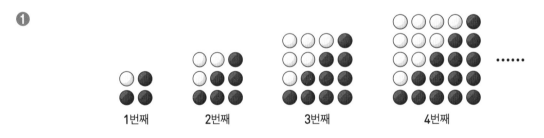

	1번째	2번째	3번째	4번째	......	19번째	20번째
더 많은 바둑돌	검은색				......		
개수의 차	2				......		

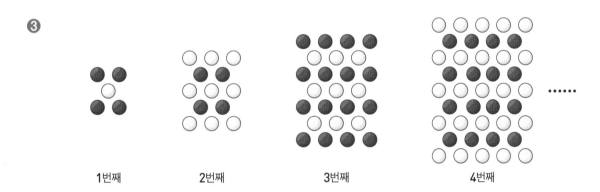

❷

1번째　　　2번째　　　3번째　　　4번째　　……

	1번째	2번째	3번째	4번째	……	19번째	20번째
더 많은 바둑돌	검은색				……		
개수의 차	2				……		

❸

1번째　　　2번째　　　3번째　　　4번째　　……

	1번째	2번째	3번째	4번째	……	19번째	20번째
더 많은 바둑돌	검은색				……		
개수의 차	3				……		

파스칼의 삼각형

✏️ 프랑스의 수학자인 파스칼은 고대 중국인이 자연수를 삼각형 모양으로 배열한 것을 보고 연구하여 여러 가지 규칙을 발견하였습니다. 다음 파스칼의 삼각형에서 규칙을 찾아 ☐ 안에 알맞은 수를 써넣으세요.

❶

```
                    1
                 1     1
              1     2     1
           1     3     3     1
        1     4     6     4     1
     1     5    10    10     5     1
   1    6    15    20    15    6    1
1   ☐    ☐    ☐    ☐    ☐    ☐    1
 ☐   ☐   ☐   ☐   ☐   ☐   ☐   ☐   ☐
```

✎ 파스칼의 삼각형의 맨 위쪽 가로줄부터 0행, 1행, 2행, ……이라고 할 때, ☐ 안에 알맞은 수를 써넣으세요.

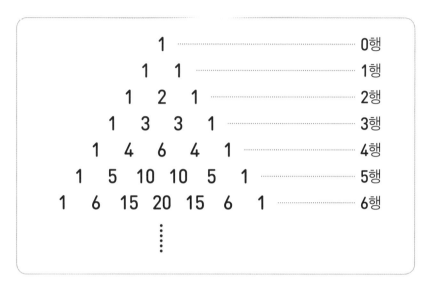

```
                    1 ·················· 0행
                  1   1 ················ 1행
                1   2   1 ·············· 2행
              1   3   3   1 ············ 3행
            1   4   6   4   1 ·········· 4행
          1   5  10  10   5   1 ········ 5행
        1   6  15  20  15   6   1 ······ 6행
                    ⋮
```

❷ 0행에 있는 수의 개수: 1

1행에 있는 수의 개수: 2

2행에 있는 수의 개수: ☐

3행에 있는 수의 개수: ☐

4행에 있는 수의 개수: ☐

5행에 있는 수의 개수: ☐

6행에 있는 수의 개수: ☐

7행에 있는 수의 개수: ☐

8행에 있는 수의 개수: ☐

❸ 0행에 있는 수의 합: 1

1행에 있는 수의 합: 2

2행에 있는 수의 합: ☐

3행에 있는 수의 합: ☐

4행에 있는 수의 합: ☐

5행에 있는 수의 합: ☐

6행에 있는 수의 합: ☐

7행에 있는 수의 합: ☐

8행에 있는 수의 합: ☐

✏️ 규칙에 따라 원으로 모양을 만들었습니다. 10번째 모양에 필요한 원의 개수를 구하세요.

❶

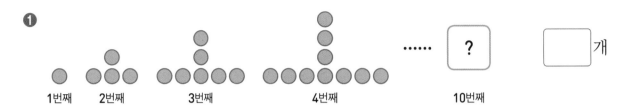

1번째   2번째   3번째   4번째   ……   ?
10번째   개

❷

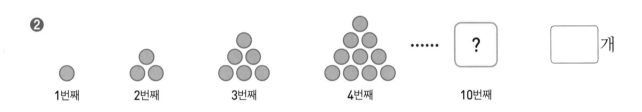

1번째   2번째   3번째   4번째   ……   ?
10번째   개

✏️ 바둑돌을 규칙에 따라 늘어놓았습니다. 표를 알맞게 채우세요.

❸

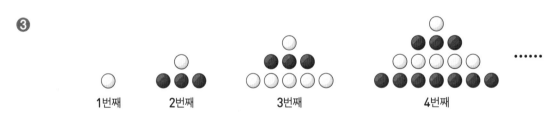

1번째   2번째   3번째   4번째   ……

	1번째	2번째	3번째	4번째	……	19번째	20번째
더 많은 바둑돌	흰색				……		
개수의 차	1				……		

마무리 평가

마무리 평가는 앞에서 공부한 4주차의 유형이 다음과 같은 순서로 나와요.
틀린 문제는 몇 주차인지 확인하여 반드시 다시 한 번 학습하도록 해요.

1주차	**3**주차
2주차	**4**주차

흰색 바둑돌과 검은색 바둑돌을 이용하여 만든 패턴입니다. 패턴에 맞도록 빈 곳에 바둑돌을 그려 보세요.

❶ ○ ○ ● ○ ○ ● ○ ○ ● ○ ☐ ☐ ☐

❷ ● ● ○ ● ● ● ○ ● ● ● ○ ☐ ☐ ☐

❸ ○ ● ● ○ ○ ● ● ● ● ● ○ ○ ☐ ☐ ☐ ☐

규칙에 맞게 수열을 완성하세요.

❹ 규칙: 3부터 시작하여 같은 수를 곱합니다.

9, 16, 25, 36, ☐, ☐, ☐, ☐

❺ 규칙: 앞의 두 수의 합이 그 다음 수입니다.

1, 1, 2, 3, ☐, ☐, ☐, ☐, ☐

❻ 규칙: 3의 단 곱셈구구 결과를 일의 자리 숫자만 나열합니다.

3, 6, 9, 2, ☐, ☐, ☐, ☐, ☐

❖ 더하는 수가 일정한 수열의 20번째 수를 구하려고 합니다. ☐ 안에 알맞은 수를 써넣으세요.

❼ 1,　5,　9,　13,　17,　……　20번째 수 ☐

처음 수는 1, 더하는 수는 4이므로

20번째 수: $1 + (4 \times \boxed{}) = 1 + \boxed{} = \boxed{}$

❽ 4,　11,　18,　25,　32,　……　20번째 수 ☐

처음 수는 4, 더하는 수는 7이므로

20번째 수: $4 + (7 \times \boxed{}) = 4 + \boxed{} = \boxed{}$

❾ 8,　10,　12,　14,　16,　……　20번째 수 ☐

❖ 다음 모양의 실을 그림과 같이 점선 방향으로 잘라 여러 도막으로 나누려고 합니다. 이와 같은 방법으로 10번 자를 때, 실은 모두 몇 도막이 되는지 구해 보세요.

❿
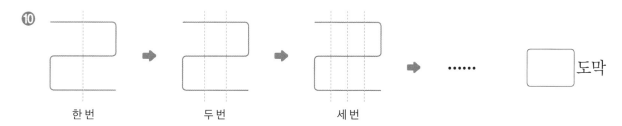

한 번　　　　두 번　　　　세 번　　　　……　☐ 도막

✦ 규칙을 찾아 빈 곳에 알맞은 모양에 ○표 하세요.

❶

● ( )

▲ ( )

▲ ( )

❷

■ ( )

■ ( )

■ ( )

✦ 이어서 올 수열을 찾아 선으로 이어 보세요.

❸ 4, 6, 10, 16   3, 6, 4, 5

❹ 9, 1, 8, 2, 7   21, 34, 55, 89

❺ 2, 3, 5, 8, 13   24, 34, 46, 60

더하는 수가 일정한 수열의 합을 구하려고 합니다. ☐ 안에 알맞은 수를 써넣으세요.

⑥　$3+5+7+9+11+13+15+17+19$

$= (3+19) \times \boxed{} \div 2 = 22 \times \boxed{} \div 2 = \boxed{}$

⑦　$4+8+12+16+20+24+28$

$= (\boxed{} + \boxed{}) \times \boxed{} \div 2 = \boxed{} \times \boxed{} \div 2 = \boxed{}$

⑧　$11+17+23+29+35+41+47+53 = \boxed{}$

바둑돌을 규칙에 따라 늘어놓았습니다. 10번째 모양에서 흰색 바둑돌과 검은색 바둑돌의 수를 각각 구하세요.

⑨

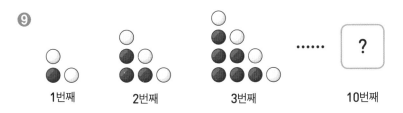

1번째　　2번째　　3번째　　10번째

흰색 바둑돌: $\boxed{}$ 개, 검은색 바둑돌: $\boxed{}$ 개

✚ 규칙을 찾아 빈 곳을 알맞게 완성하세요.

❶

❷

❸

✚ 수열입니다. ☐ 안에 알맞은 수를 써넣으세요.

❹ 1, 1, 2, 1, 2, 3, 1, 2, 3, 4, 1, 2, 3, 4, ☐

❺ 1, 4, 8, 11, 22, 25, 50, 53, ☐, ☐

❻ 1, 1, 1, 3, 5, 9, 17, 31, 57, ☐

❖ 다음 수열의 처음 수부터 **17**번째 수까지의 합을 구하려고 합니다. ☐ 안에 알맞은 수를 써넣으세요.

❼ 2, 4, 6, 8, 10, ······

처음 수는 **2**, 더하는 수는 ☐ 이므로

17번째 수: 2 + (☐ × ☐) = ☐

따라서 처음 수부터 **17**번째 수까지의 합은

(2 + ☐) × ☐ ÷ 2 = ☐ × ☐ ÷ 2 = ☐

❽ 1, 4, 7, 10, 13, ······

처음 수부터 **17**번째 수까지의 합: ☐

❖ 바둑돌을 규칙에 따라 늘어놓았습니다. 표를 알맞게 채우세요.

❾

1번째   2번째   3번째   4번째   ······

	1번째	2번째	3번째	4번째	······	14번째	15번째
더 많은 바둑돌	흰색				······		
개수의 차	1				······		

✚ 규칙을 찾아 빈 곳에 알맞은 모양을 그려 보세요.

❶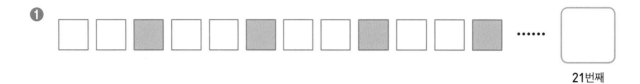

21번째

❷ ○ ◇ ◇ ♡ ○ ◇ ◇ ♡ ○ ◇ ◇ ♡ ......

27번째

✚ 수열입니다. ☐ 안에 알맞은 수를 써넣으세요.

❸ 1, 17, 7, 19, 13, 21, 19, 23, ☐, ☐

❹ 2, 20, 6, 21, 10, 24, 14, 29, ☐, ☐

❺ 4, 2, 4, 7, 8, 12, 24, 17, ☐, ☐

✤ 더하는 수가 일정한 수열의 24번째 수를 구하려고 합니다. ☐ 안에 알맞은 수를 써넣으세요.

6 2, 5, 8, 11, 14, ...   24번째 수 ☐

처음 수는 2, 더하는 수는 3이므로

24번째 수: $2+(3× \boxed{})=2+\boxed{}=\boxed{}$

7 3, 10, 17, 24, 31, ...   24번째 수 ☐

처음 수는 3, 더하는 수는 7이므로

24번째 수: $3+(7× \boxed{})=3+\boxed{}=\boxed{}$

8 5, 11, 17, 23, 29, ...   24번째 수 ☐

✤ 바둑돌을 규칙에 따라 늘어놓았습니다. 8번째 모양에서 흰색 바둑돌과 검은색 바둑돌의 수를 각각 구하세요.

9

1번째   2번째   3번째   4번째   ......   ?   8번째

흰색 바둑돌: ☐ 개, 검은색 바둑돌: ☐ 개

규칙을 찾아 빈 곳에 알맞은 모양을 그려 보세요.

❶

19번째

❷

23번째

❸

17번째

수열입니다. ☐ 안에 알맞은 수를 써넣으세요.

❹ 5, 6, 10, 17, 27, 40, 56, ☐

❺ 100, 98, 92, 82, 68, 50, 28, ☐

✿ 다음 수열의 처음 수부터 14번째 수까지의 합을 구하려고 합니다. ☐ 안에 알맞은 수를 써넣으세요.

❻ 3,   7,   11,   15,   19,   ……

처음 수는 3, 더하는 수는 ☐ 이므로

14번째 수: 3 + (☐ × ☐) = ☐

따라서 처음 수부터 14번째 수까지의 합은

(3 + ☐) × ☐ ÷ 2 = ☐ × ☐ ÷ 2 = ☐

❼ 6,   8,   10,   12,   14,   ……

처음 수부터 14번째 수까지의 합: ☐

✿ 규칙에 따라 원으로 모양을 만들었습니다. 15번째 모양에서 필요한 원의 개수를 구하세요.

❽

1번째   2번째   3번째   4번째   15번째

?

☐ 개

pensées

'사고력수학의 시작'

팡세

pensées

C1

정답과 풀이

사고가 자라는 수학
씨투엠

네이버 공식 지원 카페 필즈엠

씨투엠에듀 공식 인스타그램

C2MEDU_OFFICIAL

'사고력수학의 시작'

팡세

pensées

C1
정답과 풀이

1주차 여러 가지 패턴

DAY 1

바둑돌 패턴

흰색 바둑돌과 검은색 바둑돌을 이용하여 만든 패턴입니다. 패턴에 맞도록 빈 곳에 바둑돌을 그려 보세요.

패턴의 마디를 찾기만 하면 다음을 쉽게 구할 수 있어.

패턴의 마디

①

②

③

④

⑤

⑥

⑦

⑧ 검은색 바둑돌과 흰색 바둑돌이 번갈아 가며 놓이고 바둑돌은 1개씩 늘어납니다.

⑨ 흰색 바둑돌과 검은색 바둑돌이 번갈아 가며 놓이고 바둑돌은 2개씩 늘어납니다.

⑩ 흰색 바둑돌은 1개씩, 검은색 바둑돌은 흰색 바둑돌 수만큼 놓습니다.

pensées

DAY 2 이중 패턴

규칙을 찾아 빈 곳에 알맞은 모양에 ○표 하세요.

①
▲, ●, ▲이 반복됩니다.
초록색, 보라색이 반복됩니다.

모양에 대한 마디, 색깔에 대한 마디를 각각 찾아봐.

②
큰 것, 큰 것, 작은 것이 반복됩니다.
노란색, 빨간색이 반복됩니다.

작은 것, 큰 것, 큰 것이 반복됩니다.
빨간색, 파란색이 반복됩니다.

③
초록색, 노란색, 빨간색이 반복됩니다.
♥, ●, ◆이 반복됩니다.

④
2개, 1개, 2개가 반복됩니다.
보라색, 파란색, 파란색, 초록색이 반복됩니다.

⑤
보라색, 빨간색이 반복됩니다.
작은 것, 큰 것, 큰 것, 작은 것, 작은 것이 반복됩니다.

⑥
1개, 2개, 3개가 반복됩니다.
빨간색, 빨간색, 노란색, 빨간색, 파란색이 반복됩니다.

1주차 여러 가지 패턴

DAY 3

회전 이동 패턴

규칙을 찾아 빈 곳을 알맞게 완성하세요.

● 모양은 ↖ 방향으로 1칸씩 이동하고, ■ 모양은 ↖ 방향으로 2칸씩 이동합니다.

여러 칸을 한 번에 이동하는 규칙도 생각해 보세요.

❶

● 모양은 ↖ 방향으로 2칸씩 이동하고, ■ 모양은 ↖ 방향으로 1칸씩 이동합니다.

❷

● 모양은 ↖ 방향으로 2칸씩 이동하고, ■ 모양은 ↖ 방향으로 2칸씩 이동합니다.

❸

● 모양은 ↖ 방향으로 2칸씩 이동하고, ■ 모양은 ↖ 방향으로 1칸씩 이동합니다.

---

pensées

❹

↖ 방향으로 1칸, 2칸, 3칸, ……만큼 이동하면서 색칠합니다.

❺

↖ 방향으로 1칸씩 이동하면서 1칸씩 늘어나도록 색칠합니다.

❻

↖ 방향으로 1칸, 2칸, 3칸, ……만큼 이동하면서 색칠합니다.

❼

↖ 방향으로 2칸, 3칸, 4칸, ……만큼 이동하면서 색칠합니다.

❽

↖ 방향으로 2칸씩 이동하면서 1칸씩 늘어나도록 색칠합니다.

DAY 4

□번째 모양 구하기 (1)

✒ 규칙을 찾아 빈 곳에 알맞은 모양을 그려 보세요.

▦ ▦ □ □ □ ／ □ □ ／ ⋯⋯ □ 25번째

3번째 모양까지 하나의 마디를 이룹니다.
25÷3=8…1에서 나머지가 1이므로 25번째 모양은 마디의 첫 번째 모양인 ▦입니다.

> 마디와 나눗셈의 나머지를
> 이용하도록 해.

❶ ○ △ ☆ ／ ○ △ ☆ ／ ○ △ ☆ ／ ○ ⋯⋯ △ 23번째

3번째 모양까지 하나의 마디를 이룹니다. 23÷3=7…2에서
나머지가 2이므로 23번째 모양은 마디의 두 번째 모양인 △입니다.

❷ ○ ○ △ ● ／ ○ ○ △ ● ／ ○ ○ ⋯⋯ ○ 24번째

3번째 모양까지 하나의 마디를 이룹니다. 24÷3=8…0에서
나머지가 0이므로 24번째 모양은 마디의 마지막(세 번째) 모양인 ○입니다.

❸ ◒ ◓ ◑ ／ ◒ ◓ ◑ ／ ◒ ⋯⋯ ◓ 28번째

3번째 모양까지 하나의 마디를 이룹니다. 28÷3=9…1에서
나머지가 1이므로 28번째 모양은 마디의 첫 번째 모양인 ◒입니다.

---

❹ ⇧ ⇦ ⇩ ／ ⇧ ⇦ ⇩ ／ ⇧ ⇦ ⇩ ／ ⇧ ⇦ ⋯⋯ ⇦ 27번째

4번째 모양까지 하나의 마디를 이룹니다. 27÷4=6…3에서
나머지가 30므로 27번째 모양은 마디의 세 번째 모양인 ⇩입니다.

❺ ○ ○ ○ ● ／ ○ ○ ○ ● ／ ○ ○ ○ ● ⋯⋯ ● 28번째

4번째 모양까지 하나의 마디를 이룹니다. 28÷4=7…0에서
나머지가 0이므로 28번째 모양은 마디의 마지막(네 번째) 모양인 ●입니다.

❻ □ □ △ △ ／ □ □ △ △ ／ □ □ ⋯⋯ □ 26번째

5번째 모양까지 하나의 마디를 이룹니다. 26÷5=5…1에서
나머지가 1이므로 26번째 모양은 마디의 첫 번째 모양인 □입니다.

❼ ◇ ◇ ○ ○ ◇ ／ ◇ ◇ ○ ○ ◇ ／ ◇ ⋯⋯ ○ 29번째

6번째 모양까지 하나의 마디를 이룹니다. 29÷6=4…5에서
나머지가 50므로 29번째 모양은 마디의 다섯 번째 모양인 ○입니다.

❽ ⬡ ⬡ ⬡ ⬡ ／ ⬡ ⬡ ⬡ ／ ⬡ ⋯⋯ ⊛ 30번째

6번째 모양까지 하나의 마디를 이룹니다. 30÷6=5…0에서
나머지가 0이므로 30번째 모양은 마디의 마지막(여섯 번째) 모양인 ⊛입니다.

여러 가지 패턴

DAY 5

□번째 모양 구하기 (2)

규칙을 찾아 빈 곳에 알맞은 모양을 그려 보세요.

힌트로 패턴을 이어보아요.

색깔 패턴이에요. ◆ ◆ ○ ○
모양 패턴이에요. ◇ ☆ ☆ ◇

① 색깔: 2번째 색깔까지 하나의 마디를 이룹니다.
16÷2=8이고 나머지가 0이므로 16번째 색깔은 마디의 마지막인 번째 색깔인 파란색입니다.

② 모양: 3번째 모양까지 하나의 마디를 이룹니다.
16÷3=5…1에서 나머지가 1이므로 16번째 모양은 마디의 첫 번째 모양인 ◇입니다.

16번째

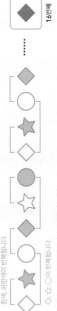

연거 색깔에 대한 마디, 모양에 대한 마디를 각각 찾아봐.

① 색깔이 반복됩니다. 17÷2=8…1
모양이 반복됩니다. 17÷3=5…2

17번째

② 개수가 반복됩니다. 15÷2=7…1
모양이 반복됩니다. 15÷3=5…0

17번째

15번째

---

③ 색깔이 반복됩니다. 18÷2=9…0
모양이 반복됩니다. 18÷5=3…3

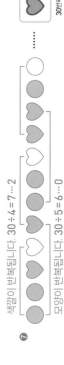

18번째

④ ○ 모양의 색깔이 반복됩니다. 26÷3=8…2
○ 모양의 위치가 반복됩니다. 26÷4=6…2

26번째

⑤ 색깔이 반복됩니다. 23÷3=7…2
화살표의 방향이 반복됩니다. 23÷4=5…3

23번째

⑥ 개수가 반복됩니다. 24÷3=8…0
모양이 반복됩니다. 24÷5=4…4

24번째

⑦ 색깔이 반복됩니다. 30÷4=7…2
모양이 반복됩니다. 30÷5=6…0

30번째

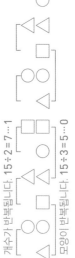

확인학습

규칙을 찾아 빈 곳에 알맞은 모양을 그려 보세요.

① △☆○△☆☆○△☆○/△☆○/ ……

3번째 모양까지 하나의 마디를 이룹니다. 20÷3=6…2에서
나머지가 20이므로 20번째 모양은 마디의 두 번째 모양인 ☆입니다.

20번째

② 4번째 모양까지 하나의 마디를 이룹니다. 21÷4=5…1에서
나머지가 1이므로 21번째 모양은 마디의 첫 번째 모양인 입니다.

21번째

③ 5번째 모양까지 하나의 마디를 이룹니다. 23÷5=4…3에서
나머지가 3이므로 23번째 모양은 마디의 세 번째 모양인 ●입니다.

23번째

규칙을 찾아 빈 곳에 알맞은 모양을 그려 보세요.

④ 색깔이 반복됩니다. 16÷2=8…0
모양이 반복됩니다. 16÷3=5…1

16번째

⑤ 모양의 색깔이 반복됩니다. 19÷3=6…1
모양의 위치가 반복됩니다. 19÷4=4…3

19번째

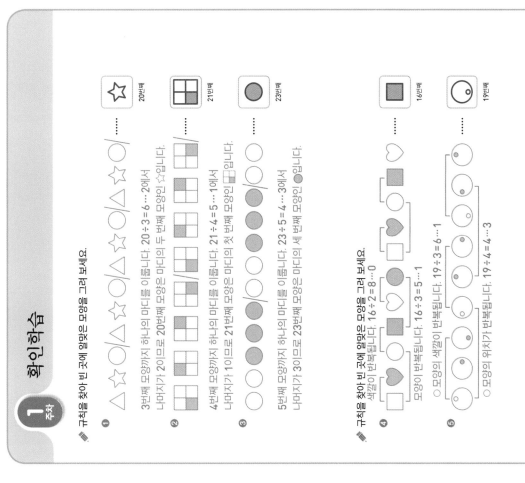

2주차 여러 가지 수열

DAY 1 기본 수열

✎ 수열입니다. □ 안에 알맞은 수를 써넣으세요.

❶ 1, 2, 7, 1, 2, 7, 1, 2, 7, [1]
1, 2, 7이 반복됩니다.

❷ 2, 4, 6, 8, 2, 4, 6, 8, 2, [4]
2, 4, 6, 8이 반복됩니다.

❸ 3, 7, 11, 15, 19, 23, 27, [31]
4씩 커집니다.

❹ 1, 9, 17, 25, 33, 41, 49, [57]
8씩 커집니다.

❺ 58, 52, 46, 40, 34, 28, 22, [16]
6씩 작아집니다.

❻ 72, 65, 58, 51, 44, 37, 30, [23]
7씩 작아집니다.

❼ 2, 4, 8, 16, 32, 64, [128]
2씩 곱합니다.

❽ 1, 3, 9, 27, 81, [243]
3씩 곱합니다.

❾ 1, 2, 5, 10, 17, 26, 37, 50, [65]
더하는 수가 1부터 2씩 커집니다.

❿ 2, 4, 9, 17, 28, 42, 59, 79, [102]
더하는 수가 2부터 3씩 커집니다.

⓫ 50, 48, 45, 41, 36, 30, 23, 15, [6]
빼는 수가 2부터 1씩 커집니다.

⓬ 70, 67, 63, 58, 52, 45, 37, 28, [18]
빼는 수가 3부터 1씩 커집니다.

수열 만들기

✏️ 규칙에 맞게 수열을 완성하세요.

규칙: 1부터 순서대로 같은 수를 곱합니다.

1, 4, 9, 16, 25, 36, 49, 64
1×1 2×2 3×3 4×4 5×5 ......

다양한 방법으로 수열을 나타낼 수 있어.

❶ 규칙: 1×2, 2×3, 3×4 ...... 와 같이 연속된 두 수를 곱합니다.

2, 6, 12, 20, 30, 42, 56, 72
1×2, 2×3, 3×4 ......

❷ 규칙: 곱하는 수가 1부터 1씩 커집니다.

1, 1, 2, 6, 24, 120
×1 ×2 ×3 ×4

---

pensées

❸ 규칙: 수의 개수만큼 나열합니다.

1, 2, 2, 3, 3, 3, 4, 4, 4, 4
1이 1개, 2가 2개, 3이 3개 ......

❹ 규칙: 6의 단 곱셈구구 결과를 숫자 하나씩 나열합니다.

6, 1, 2, 1, 8, 2, 4, 3, 0

❺ 규칙: 7의 단 곱셈구구 결과를 일의 자리 숫자만 나열합니다.

7, 4, 1, 8, 5, 2, 9, 6

❻ 규칙: 앞의 세 수의 합이 그 다음 수입니다.

1, 1, 1, 3, 5, 9, 17, 31, 57
$1+1+1=3, 1+1+3=5, 1+3+5=9$ ......

❼ 규칙: 앞의 두 수의 곱이 그 다음 수입니다.

1, 2, 2, 4, 8, 32, 256
$1×2=2, 2×2=4, 2×4=8$ ......

2주차 여러 가지 수열

DAY 3

수열 연결

◈ 이어서 올 수열을 찾아 선으로 이어 보세요.

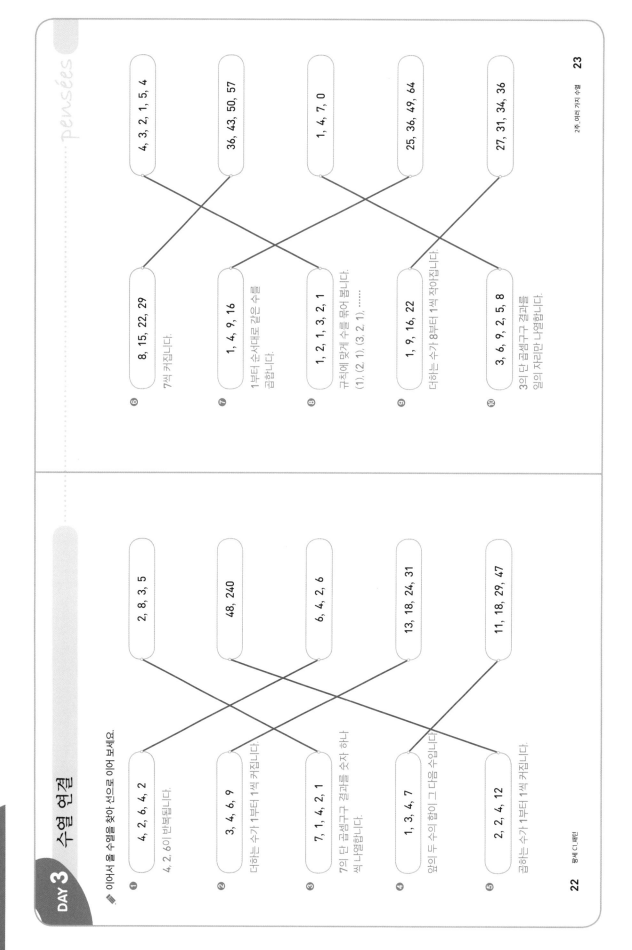

2, 8, 3, 5

48, 240

6, 4, 2, 6

13, 18, 24, 31

11, 18, 29, 47

① 4, 2, 6, 4, 2
4, 2, 6이 반복됩니다.

② 3, 4, 6, 9
더하는 수가 1부터 1씩 커집니다.

③ 7, 1, 4, 2, 1
7의 단 곱셈구구 결과를 숫자 하나씩 나열합니다.

④ 1, 3, 4, 7
앞의 두 수의 합이 그 다음 수입니다.

⑤ 2, 2, 4, 12
곱하는 수가 1부터 1씩 커집니다.

4, 3, 2, 1, 5, 4

36, 43, 50, 57

1, 4, 7, 0

25, 36, 49, 64

27, 31, 34, 36

⑥ 8, 15, 22, 29
7씩 커집니다.

⑦ 1, 4, 9, 16
1부터 순서대로 같은 수를 곱합니다.

⑧ 1, 2, 1, 3, 2, 1
규칙에 맞게 수를 묶어 봅니다.
(1), (2, 1), (3, 2, 1), ...

⑨ 1, 9, 16, 22
더하는 수가 8부터 1씩 작아집니다.

⑩ 3, 6, 9, 2, 5, 8
3의 단 곱셈구구 결과를
일의 자리만 나열합니다.

DAY 4

여러 가지 수열

◆ 수열입니다. □ 안에 알맞은 수를 써넣으세요.

3, 4, 6, 10, 18, 34, 66, [130]
+1 +2 +4 +8 +16 +32 +64
더하는 수가 1부터 2배씩 늘어납니다.

규칙을 먼저 찾아보자.

❶ 1, 2, 5, 14, 41, 122, [365]
더하는 수가 1부터 3배씩 늘어납니다.

❷ 1, 8, 5, 12, 9, 16, 13, 20, 17, [24]
+7, -3을 반복하며 계산합니다.

❸ 3, 5, 10, 12, 24, 26, 52, 54, [108]
+2, ×2를 반복하며 계산합니다.

❹ 1, 8, 27, 64, 125, [216]
$1×1×1$ $2×2×2$ $3×3×3$ $4×4×4$ $5×5×5$ $6×6×6$
1부터 순서대로 같은 수를 세 번 곱합니다.

❺ 9, 1, 8, 2, 7, 3, 6, 4, 5, [5], 4, 3
9의 단 곱셈구구를 숫자 하나씩 나열합니다.

❻ (1) (1, 2, 1) (1, 2, 3, 2, 1) 1, 2, 3, 4, 3, [2]
규칙에 맞게 수를 묶어 봅니다.

❼ 1, 1, 2, 4, 7, 13, 24, 44, [81]
바로 앞의 세 수의 합이 그 다음 수입니다.

❽ 1, 3, 3, 9, 27, [243]
바로 앞의 두 수의 곱이 그 다음 수입니다.

여러 가지 수열

DAY 5 두 가지 규칙의 수열

✏️ 수열입니다. ☐ 안에 알맞은 수를 써넣으세요.

5, 1, 6, 3, 8, 7, 11, 13, [15], [21]

홀수 번째 수도 더하는 수가 1부터 1씩 커지고,
짝수 번째 수도 더하는 수가 2부터 2씩 커집니다.

짝수 번째 수, 홀수 번째 수로 나누어서 수열의 규칙을 찾아봐.

❶ 2, 1, 6, 4, 10, 7, 14, 10, [18], [13]

❷ 3, 1, 6, 3, 9, 6, 12, 10, [15], [15]

❸ 3, 1, 5, 2, 8, 4, 12, 8, [17], [16]

❹ 3, 3, 7, 6, 11, 18, 15, [72], [19]

❺ 1, 12, 2, 16, 6, 24, 24, 36, [120], [52]

❻ 1, 2, 3, 5, 5, 7, 9, 9, 17, [11], [33]

❼ 1, 4, 1, 5, 2, 6, 3, 7, 5, 8, [8], [9]
$1+1=2$ $1+2=3$ $2+3=5$ $3+5=8$

❽ 1, 4, 3, 8, 4, 12, 7, 16, 11, 20, [18], [24]
$1+3=4$ $3+4=7$ $4+7=11$ $7+11=18$

pensées

확인학습

✏️ 수업입니다. ☐ 안에 알맞은 수를 써넣으세요.

① 2, 3, 5, 9, 17, 33, 65, [129]

더하는 수가 1부터 2배씩 늘어납니다.

② 8, 1, 6, 2, 4, 3, 2, 4, 0 4, [8]

8의 단 곱셈구구를 숫자 하나씩 나열합니다.

③ 1, 2, 2, 4, 8, 32, [256]

바로 앞의 두 수의 곱이 그 다음 수입니다.

✏️ 수업입니다. ☐ 안에 알맞은 수를 써넣으세요.

④ 4, 2, 6, 4, 9, 8, 13, 16, [18], [32]

×2 +2 ×2 +3 ×2 +4 ×2 +5 ×2

⑤ 2, 10, 4, 13, 12, 16, 16, 48, 19, [240], [22]

×2 +3 ×3 +3 ×4 +3 ×5 +3 ×6

⑥ 1, 6, 2, 12, 3, 18, 5, 24, 8, 30, [13], [36]

+6 +6 +6 +6 +6 +6

1+2=3 2+3=5 3+5=8 5+8=13

3주차 수열의 합

DAY 1

그림과 합

✏️ 도형의 개수를 이용하여 수열의 합을 구하려고 합니다. ☐ 안에 알맞은 수를 써넣으세요.

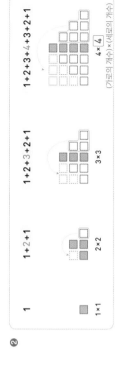

1	1+3	1+3+5	1+3+5+7	1+3+5+7+9
1×1	2×2	3×3	4×4	5×5

(가로의 개수) × (세로의 개수)

$1+3+5+7+9=5\times5=$ 25

더하려고 하자마자 도형을 배치해 보면 규칙을 찾을 수 있어.

❶

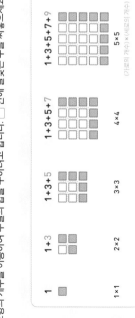

2	2+4	2+4+6	2+4+6+8	2+4+6+8+10
1×2	2×3	3×4	4×5	5×6

(가로의 개수) × (세로의 개수)

$2+4+6+8+10=5\times$ 6 $=$ 30

❷

1	1+2+1	1+2+3+2+1	1+2+3+4+3+2+1
1×1	2×2	3×3	4×4

(가로의 개수) × (세로의 개수)

$1+2+3+4+3+2+1=4\times$ 4 $=$ 16

❸

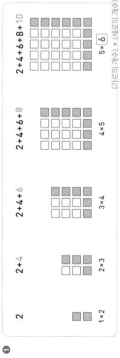

1	1+2	1+2+3	1+2+3+4	1+2+3+4+5
1×2÷2	2×3÷2	3×4÷2	4×5÷2	5×6÷2

(가로의 개수) × (세로의 개수) ÷ 2

$1+2+3+4+5=5\times$ 6 $\div2=$ 15

도형을 세로 만들어 개수를 구한 후 2로 나누어 봅니다.

DAY 2
수열의 합

수열의 합은 공세를 이용하여 구하려고 합니다. ☐ 안에 알맞은 수를 써넣으세요.

1부터 시작하는 홀수의 합: (수의 개수)×(수의 개수)

$1+3+5+7+9+11 =$ 6 × 6 = 36

2부터 시작하는 짝수의 합: (수의 개수)×(수의 개수+1)

$2+4+6+8+10+12 =$ 6 × 7 = 42

1부터 시작하는 수의 합: (수의 개수)×(수의 개수+1)÷2

$1+2+3+4+5+6 =$ 6 × 7 ÷ 2 = 21

연속수, 연속 홀수는 1부터, 연속 짝수는 2부터 시작하는 수의 합이다.

① $1+3+5+7+9+11+13=$ 7 × 7 = 49

② $2+4+6+8+10+12+14+16=$ 8 × 9 = 72

③ $1+2+3+4+5+6+7+8+9=$ 9 × 10 ÷ 2 = 45

④ $9+11+13+15+17$
$=(1+3+5+7+9+11+13+15+17)-(1+3+5+7)$
$=(9×$ 9 $)-(4×$ 4 $)=$ 81 $-$ 16 = 65

⑤ $5+7+9+11+13+15+17+19+21$
$=(1+3+5+7+9+11+13+15+17+19+21)-(1+3)$
$=($ 11 $×$ 11 $)-($ 2 $×$ 2 $)=$ 121 $-$ 4 = 117

⑥ $6+8+10+12+14$
$=(2+4+6+8+10+12+14)-(2+4)$
$=(7×$ 8 $)-(2×$ 3 $)=$ 56 $-$ 6 = 50

⑦ $8+10+12+14+16+18+20+22$
$=(2+4+6+8+10+12+14+16+18+20+22)-(2+4+6)$
$=($ 11 $×$ 12 $)-($ 3 $×$ 4 $)=$ 132 $-$ 12 = 120

⑧ $4+5+6+7+8+9+10$
$=(1+2+3+4+5+6+7+8+9+10)-(1+2+3)$
$=(10×$ 11 $÷2)-(3×$ 4 $÷2)=$ 55 $-$ 6 = 49

괄호 ( )가 있는 식은 괄호 안을 먼저 계산해.

3주차 수열의 합

DAY 3   더하는 수가 일정한 수열

✎ 더하는 수가 일정한 수열의 ■번째 수를 구하려고 합니다. ☐ 안에 알맞은 수를 써넣으세요.

2, 6, 10, 14, 18, ……   20번째 수

더하는 수: 2 → ☐ 4 ☐

처음 수: 2
1번째 수: 2
2번째 수: 6 ← 2+4=2+(4×1)
3번째 수: 10 ← 2+4+4=2+(4×2)
4번째 수: 14 ← 2+4+4+4=2+(4×3)
5번째 수: 18 ← 2+4+4+4+4=2+(4× 4)

20번째 수: 2+4+4+4+……+4=2+(4× 19)=2+ 76 = 78

19개

← 더하는 수가 4로 일정한 수열입니다.

더하는 수가 일정한 수열의
■번째 수: (처음 수)+
{(더하는 수)×(■-1)}

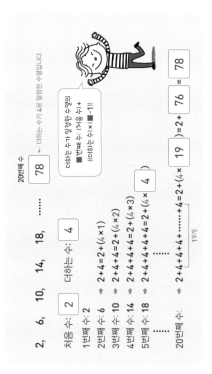

① 1, 3, 5, 7, 9, ……   20번째 수 ☐ 39 ☐

처음 수는 1, 더하는 수는 2이므로
20번째 수: 1+(2× 19)=1+ 38 = 39

② 3, 8, 13, 18, 23, ……   20번째 수 ☐ 98 ☐

처음 수는 3, 더하는 수는 5이므로
20번째 수: 3+(5× 19)=3+ 95 = 98

34 문제 다 패턴

③ 1, 4, 7, 10, 13, ……   30번째 수 ☐ 88 ☐

처음 수는 ☐ 1 ☐, 더하는 수는 ☐ 3 ☐ 이므로
30번째 수: 1+(☐ 3 ☐ × ☐ 29 ☐)= ☐ 88 ☐

④ 3, 9, 15, 21, 27, ……   30번째 수 ☐ 177 ☐

처음 수는 ☐ 3 ☐, 더하는 수는 ☐ 6 ☐ 이므로
30번째 수: ☐ 3 ☐ +(☐ 6 ☐ × ☐ 29 ☐)= ☐ 177 ☐

⑤ 10, 12, 14, 16, 18, ……   30번째 수 ☐ 68 ☐

10+(2×29)=68

⑥ 16, 23, 30, 37, 44, ……   25번째 수 ☐ 184 ☐

16+(7×24)=184

⑦ 7, 15, 23, 31, 39, ……   50번째 수 ☐ 399 ☐

7+(8×49)=399

3주차 수열의 합 35

DAY 4

더하는 수가 일정한 수열의 합 (1)

더하는 수가 일정한 수열의 합을 구하려고 합니다. □ 안에 알맞은 수를 써넣으세요.

1+4+7+10+13 → 더하는 수가 3으로 일정한 수열입니다.

$$\begin{array}{r} 1 + 4 + 7 + 10 + 13 \\ + 13 + 10 + 7 + 4 + 1 \\ \hline 14 + 14 + 14 + 14 + 14 = 14 \times 5 = 70 \end{array}$$ → 거꾸로 나열하였습니다.

(처음 수)+(마지막 수)　　　수의 개수

70은 수열을 두 번 더한 것이므로 2로 나누어야 합니다.
따라서 1+4+7+10+13=70÷2= 35

더하는 수가 일정한 수열의 합:
{(처음 수)+(마지막 수)}
×(수의 개수)÷2

❶ 1+2+3+4+5+6+7+8+9
=(1+9)× 9 ÷2= 10 × 9 ÷2= 45

❷ 1+3+5+7+9+11+13
=(1+13)× 7 ÷2= 14 × 7 ÷2= 49

❸ 2+4+6+8+10+12+14+16
=(2+16)× 8 ÷2= 18 × 8 ÷2= 72

❹ 8+9+10+11+12+13
=(8 + 13)× 6 ÷2= 21 × 6 ÷2= 63

❺ 6+8+10+12+14+16+18
=(6 + 18)× 7 ÷2= 24 × 7 ÷2= 84

❻ 5+8+11+14+17+20+23+26
=(5 + 26)× 8 ÷2= 31 × 8 ÷2= 124

❼ 3+7+11+15+19+23+27= 105
=(3+27)×7÷2=105

❽ 5+11+17+23+29= 85
=(5+29)×5÷2=85

❾ 12+15+18+21+24+27= 117
=(12+27)×6÷2=117

3주차 수열의 합

더하는 수가 일정한 수열의 합 (2)

✒ 다음 수열의 처음 수부터 15번째 수까지의 합을 구하려고 합니다. ☐ 안에 알맞은 수를 써넣으세요.

15번째 수를 먼저 구한 후 수열의 합을 구해.

1, 4, 7, 10, 13, ……

처음 수는 1, 더하는 수는 3 이므로

15번째 수: 1+(3 ×14)= 43

따라서 처음 수부터 15번째 수까지의 합은

(1+ 43)× 15 ÷2= 44 × 15 ÷2= 330

① 5, 7, 9, 11, 13, ……

처음 수는 5, 더하는 수는 2 이므로

15번째 수: 5+(2 × 14)= 33

따라서 처음 수부터 15번째 수까지의 합은

(5+ 33)× 15 ÷2= 38 × 15 ÷2= 285

② 2, 6, 10, 14, 18, ……

처음 수는 2, 더하는 수는 4 이므로

15번째 수: 2+(4 × 14)= 58

따라서 처음 수부터 15번째 수까지의 합은

(2+ 58)× 15 ÷2= 60 × 15 ÷2= 450

38 콩세다 패턴

✒ 다음 수열의 처음 수부터 12번째 수까지의 합을 구하려고 합니다. ☐ 안에 알맞은 수를 써넣으세요.

③ 7, 13, 19, 25, 31, ……

처음 수는 7, 더하는 수는 6 이므로

12번째 수: 7+(6 × 11)= 73

따라서 처음 수부터 12번째 수까지의 합은

(7+ 73)× 12 ÷2= 80 × 12 ÷2= 480

④ 2, 10, 18, 26, 34, ……

처음 수는 2, 더하는 수는 8 이므로

12번째 수: 2+(8 × 11)= 90

따라서 처음 수부터 12번째 수까지의 합은

(2+ 90)× 12 ÷2= 92 × 12 ÷2= 552

⑤ 14, 16, 18, 20, 22, ……

처음 수부터 12번째 수까지의 합: 300

처음 수는 14, 더하는 수는 20이므로
12번째 수는 14+(2×11)=36입니다.
따라서 처음 수부터 12번째 수까지의 합은
(14+36)×12÷2=50×12÷2=300

⑥ 9, 12, 15, 18, 21, ……

처음 수부터 12번째 수까지의 합: 306

처음 수는 9, 더하는 수는 30이므로
12번째 수는 9+(3×11)=42입니다.
따라서 처음 수부터 12번째 수까지의 합은
(9+42)×12÷2=51×12÷2=306

3주 수열의 합 **39**

✎ 더하는 수가 일정한 수열의 합을 구하세요.

① 1+4+7+10+13+16+19 = 70

= (1+19)×7÷2 = 70

② 8+10+12+14+16+18+20+22 = 120

= (8+22)×8÷2 = 120

③ 13+17+21+25+29+33 = 138

= (13+33)×6÷2 = 138

✎ 다음 수열의 처음 수부터 14번째 수까지의 합을 구하세요.

④ 3, 7, 11, 15, 19, ……

처음 수부터 14번째 수까지의 합: 406

처음 수는 3, 더하는 수는 4이므로 14번째 수는 3+(4×13) = 55입니다.

따라서 처음 수부터 14번째 수까지의 합은 (3+55)×14÷2 = 406

⑤ 2, 5, 8, 11, 14, ……

처음 수부터 14번째 수까지의 합: 301

처음 수는 2, 더하는 수는 3이므로 14번째 수는 2+(3×13) = 41입니다.

따라서 처음 수부터 14번째 수까지의 합은 (2+41)×14÷2 = 301

4주차 수의 활용

4주차 수열의 활용

DAY 1

실 자르기

다음 모양의 실을 그림과 같이 점선 방향으로 잘라 여러 도막으로 나누려고 합니다. 이와 같은 방법으로 10번 자를 때, 실은 모두 몇 도막이 되는지 구해 보세요.

①

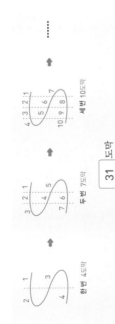

한 번 자르면 4도막이 되고 한 번 더 자를 때마다 3도막씩 늘어납니다.
따라서 10번 자르면 4+(3×9)=31(도막)이 됩니다.

31 도막

> 더하는 수가 일정한 수열의
> ■번째 수=(처음 수)
> +((더하는 수)×(■−1))

한 번 자르면 3도막이 되고 한 번 더 자를 때마다 2도막씩 늘어납니다.
따라서 10번 자르면 3+(2×9)=21(도막)이 됩니다.

21 도막

②

한 번 자르면 2도막이 되고 한 번 더 자를 때마다 2도막씩 늘어납니다.
따라서 10번 자르면 2+(2×9)=20(도막)이 됩니다.

20 도막

③

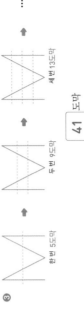

한 번 자르면 5도막이 되고 한 번 더 자를 때마다 4도막씩 늘어납니다.
따라서 10번 자르면 5+(4×9)=41(도막)이 됩니다.

41 도막

④

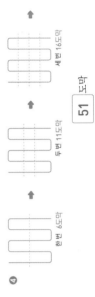

한 번 자르면 6도막이 되고 한 번 더 자를 때마다 5도막씩 늘어납니다.
따라서 10번 자르면 6+(5×9)=51(도막)이 됩니다.

51 도막

DAY 2 도형의 개수

규칙에 따라 정사각형으로 모양을 만들었습니다. 8번째 모양에 필요한 정사각형의 개수를 구하세요.

❶

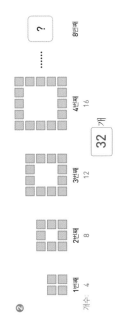

| 1번째 | 2번째 | 3번째 | 4번째 | …… | 8번째 |
| 개수 3 | 5 | 7 | 9 | | ? |

수열 1, 2, 3, ……의 8번째 수는 8이므로 8번째 도형의 개수는 1+2+3+……+8입니다.
이 수열의 처음 수는 1, 마지막 수는 8, 수의 개수는 8개이므로 수열의 합은 (1+8)×8÷2=36입니다.

36 개

더하는 수가 일정한 수열의 합:
((처음 수)+(마지막 수))×(수의 개수)÷2

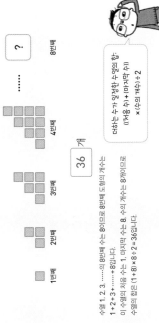

| 1번째 | 2번째 | 3번째 | 4번째 | …… | 8번째 |
| 3 | 5 | 7 | 9 | | ? |

처음 수는 3이고 2씩 늘어납니다.
따라서 8번째 모양의 정사각형의 개수는 3+(2×7)=17(개)입니다.

17 개

---

❷

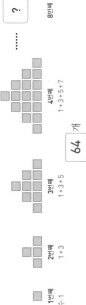

| 1번째 | 2번째 | 3번째 | 4번째 | …… | 8번째 |
| 개수 4 | 8 | 12 | 16 | | ? |

처음 수는 4이고 4씩 늘어납니다.
따라서 8번째 모양의 정사각형의 개수는 4+(4×7)=32(개)입니다.

32 개

❸

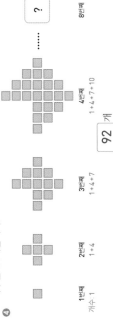

| 1번째 | 2번째 | 3번째 | 4번째 | …… | 8번째 |
| 1 | 1+3 | 1+3+5 | 1+3+5+7 | | ? |

수열 1, 3, 5, ……의 8번째 수는 1+(2×7)=15이므로 8번째 도형의 개수는 1+3+5+……+15입니다. 이 수열의 처음 수는 1, 마지막 수는 15, 수의 개수는 8개이므로 이 수열의 합은 (1+15)×8÷2=64입니다. 따라서 8번째 도형의 정사각형의 개수는 64개입니다.

64 개

❹

| 1번째 | 2번째 | 3번째 | 4번째 | …… | 8번째 |
| 개수 1 | 1+4 | 1+4+7 | 1+4+7+10 | | ? |

92 개

수열 1, 4, 7, ……의 8번째 수는 1+(3×7)=22이므로 8번째 도형의 개수는 1+4+7+……+22입니다. 이 수열의 처음 수는 1, 마지막 수는 22, 수의 개수는 8개이므로 수열의 합은 (1+22)×8÷2=92입니다. 따라서 8번째 도형의 정사각형의 개수는 92개입니다.

4주차 수열의 활용

DAY 3

바둑돌의 개수

바둑돌을 규칙에 따라 늘어놓았습니다. 9번째 모양에서 흰색 바둑돌과 검은색 바둑돌의 수를 각 구하세요.

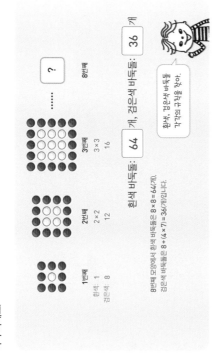

	1번째	2번째	3번째	8번째
흰색:	1	2×2	3×3	?
검은색:	8	12	16	

흰색 바둑돌: 64 개, 검은색 바둑돌: 36 개

8번째 모양에서 흰색 바둑돌은 8×8=64(개),
검은색 바둑돌은 8+(4×7)=36(개)입니다.

흰색, 검은색 바둑돌 각각의 규칙을 찾아.

❶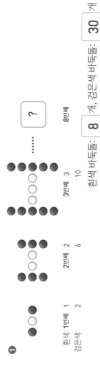

	1번째	2번째	3번째	8번째
흰색:	1	2	3	?
검은색:	2	6	10	

흰색 바둑돌: 8 개, 검은색 바둑돌: 30 개

8번째 모양에서 검은색 바둑돌은 2+(4×7)=30(개)입니다.

❷

	1번째	2번째	3번째	8번째
흰색:	2	3	4	?
검은색:	2	4	6	

흰색 바둑돌: 9 개, 검은색 바둑돌: 16 개

8번째 모양에서 검은색 바둑돌은 2+(2×7)=16(개)입니다.

❸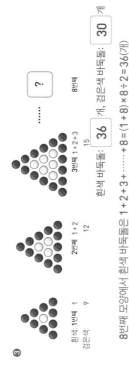

	1번째	2번째	3번째	8번째
흰색:	1	1+2	1+2+3	?
검은색:	9	12	15	

흰색 바둑돌: 36 개, 검은색 바둑돌: 30 개

8번째 모양에서 흰색 바둑돌은 $1+2+3+……+8=(1+8)×8÷2=36$(개)
검은색 바둑돌은 9+(3×7)=30(개)입니다.

❹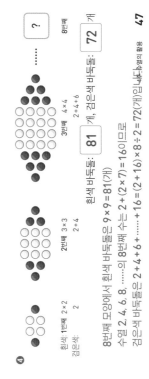

	1번째	2번째	3번째	8번째
흰색:	2×2	3×3	4×4	?
검은색:		2+4	2+4+6	

흰색 바둑돌: 81 개, 검은색 바둑돌: 72 개

8번째 모양에서 흰색 바둑돌은 9×9=81(개)
수열 2, 4, 6, 8, ……의 8번째 수는 2+(2×7)=16이므로
검은색 바둑돌은 $2+4+6+……+16=(2+16)×8÷2=72$(개)입니다.

DAY 4

바둑돌 개수의 차

✐ 바둑돌을 규칙에 따라 늘어놓았습니다. 표를 알맞게 채우세요.

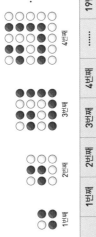

	1번째	2번째	3번째	4번째	.....	19번째	20번째
더 많은 바둑돌	흰색	검은색	흰색	검은색	.....	흰색	검은색
개수의 차	1	1	2	2	.....	10	10

홀수 번째는 흰색 바둑돌이 많고,
짝수 번째는 검은색 바둑돌이 많습니다.

> 흰색, 검은색 바둑돌 개수의 차를 구한 후 규칙을 찾아봐.

①

	1번째	2번째	3번째	4번째	.....	19번째	20번째
더 많은 바둑돌	검은색	검은색	검은색	검은색		검은색	검은색
개수의 차	2	3	4	5		20	21
흰색 바둑돌 개수	1	3	6	10			
검은색 바둑돌 개수	3	6	10	15			

---

②

	1번째	2번째	3번째	4번째	.....	19번째	20번째
더 많은 바둑돌	검은색	흰색	검은색	흰색	.....	검은색	흰색
개수의 차	2	3	4	5	.....	20	21
흰색 바둑돌 개수	1	6	6	15	.....		
검은색 바둑돌 개수	3	3	10	10	.....		

③

	1번째	2번째	3번째	4번째	.....	19번째	20번째
더 많은 바둑돌	검은색	흰색	검은색	흰색	.....	검은색	흰색
개수의 차	3	5	7	9	.....	39	41
흰색 바둑돌 개수	1	9	9	25	.....		
검은색 바둑돌 개수	4	4	16	16	.....		

수열의 활용

파스칼의 삼각형

프랑스의 수학자인 파스칼은 고대 중국인의 자연수를 삼각형 모양으로 배열한 것을 보고 연구하여 여러 가지 규칙을 발견하였습니다. 다음 파스칼의 삼각형에서 규칙을 찾아 ☐ 안에 알맞은 수를 써넣으세요.

❶

```
                    1
                  1   1
               1   2   1
            1   3   3   1
         1   4   6   4   1
       1   5  10  10   5   1
     1   6  15  20  15   6   1
```

| 1 | 7 | 21 | 35 | 35 | 21 | 7 | 1 |

| 1 | 8 | 28 | 56 | 70 | 56 | 28 | 8 | 1 |

규칙:
가로줄의 양쪽 끝에 있는 수는 모두 1입니다.
아래의 수는 바로 위의 두 수의 합입니다.

---

pensées

파스칼의 삼각형의 맨 위쪽 가로줄부터 0행, 1행, 2행, ……이라고 할 때, ☐ 안에 알맞은 수를 써넣으세요.

```
            1          0행
          1   1        1행
        1   2   1      2행
      1   3   3   1    3행
    1   4   6   4   1  4행
  1  5  10  10  5   1  5행
1  6  15  20  15  6  1 6행
        ……
```

❷
0행에 있는 수의 개수: 1
1행에 있는 수의 개수: 2
2행에 있는 수의 개수: 3
3행에 있는 수의 개수: 4
4행에 있는 수의 개수: 5
5행에 있는 수의 개수: 6
6행에 있는 수의 개수: 7
7행에 있는 수의 개수: 8
8행에 있는 수의 개수: 9

❸
0행에 있는 수의 합: 1
1행에 있는 수의 합: 2
2행에 있는 수의 합: 2×2 4
3행에 있는 수의 합: $2 \times 2 \times 2$ 8
4행에 있는 수의 합: $2 \times 2 \times 2 \times 2$ 16
5행에 있는 수의 합: $2 \times 2 \times 2 \times 2 \times 2$ 32
6행에 있는 수의 합: $2 \times 2 \times 2 \times 2 \times 2 \times 2$ 64
7행에 있는 수의 합: $2 \times 2 \times 2 \times 2 \times 2 \times 2 \times 2$ 128
8행에 있는 수의 합: $2 \times 2 \times 2 \times 2 \times 2 \times 2 \times 2 \times 2$ 256

규칙: 행에 있는 수의 합은 2를 행에 있는 수의 개수만큼 곱한 수입니다.

4주차

규칙에 따라 원으로 모양을 만들었습니다. 10번째 모양에 필요한 원의 개수를 구하세요.

❶

1번째 | 2번째 | 3번째 | 4번째 ...... 10번째 ?

28 개

개수: 1   4   7   10

처음 수는 1이고 3씩 늘어납니다.
따라서 10번째 모양의 원의 개수는 1+(3×9)=28(개)입니다.

❷

1번째 1 | 2번째 1+2 | 3번째 1+2+3 | 4번째 1+2+3+4 ...... 10번째 ?

55 개

수열 1, 2, 3, ...의 10번째 수는 10이므로 10번째 도형의 개수는
1+2+3+ ...... +10입니다. 이 수열의 처음 수는 1, 마지막 수는 10,
수의 개수는 10개이므로 수열의 합은 (1+10)×10÷2=55입니다.

바둑돌을 규칙에 따라 늘어놓았습니다. 표를 알맞게 채우세요.

❸

1번째 | 2번째 | 3번째 | 4번째 ......

더 많은 바둑돌	1번째 흰색	2번째 검은색	3번째 흰색	4번째 검은색	......	19번째 흰색	20번째 검은색
개수의 차	1	2	3	4	......	19	20
흰색 바둑돌 개수	1	1	6	6	......		
검은색 바둑돌 개수	0	3	3	10	......		

맹세 다 패턴

TEST 1

마무리 평가

❖ 흰색 바둑돌과 검은색 바둑돌을 이용하여 만든 패턴입니다. 패턴에 맞도록 빈 곳에 바둑돌을 그려 보세요.

❶ ○ ○ ● ○ ○ / ○ ○ ● ○ ○ / ○ ●

❷ ○ ● ● ○ ● ● / ○ ● ● ○ ● ● / ● ●

❸ ○ ● ○ ● / ○ ●

흰색 바둑돌과 검은색 바둑돌이 번갈아 가며 놓이고 바둑돌은 1개씩 늘어납니다.

❖ 규칙에 맞게 수열을 완성하세요.

❹ 규칙: 3부터 시작하여 같은 수를 곱합니다.

9, 16, 25, 36, 49 , 64 , 81 , 100

❺ 규칙: 앞의 두 수의 합이 그 다음 수입니다.

1, 1, 2, 3, 5 , 8, 13 , 21 , 34

❻ 규칙: 3의 단 곱셈구구 결과를 일의 자리 숫자만 나열합니다.

3, 6, 9, 2, 5 , 8 , 1 , 4 , 7

❖ 더하는 수가 일정한 수열의 20번째 수를 구하려고 합니다. ☐ 안에 알맞은 수를 써넣으세요.

❼ 1, 5, 9, 13, 17, ... [20번째 수] 77

첫 수는 1, 더하는 수는 4이므로

20번째 수: 1+(4× 19)=1+ 76 = 77

❽ 4, 11, 18, 25, 32, ... [20번째 수] 137

첫 수는 4, 더하는 수는 7이므로

20번째 수: 4+(7× 19)=4+ 133 = 137

❾ 8, 10, 12, 14, 16, ... [20번째 수] 46

8+(2×19)=46

❖ 다음 모양의 실을 그림과 같이 점선 방향으로 잘라 여러 도막으로 나누려고 합니다. 이와 같은 방법으로 10번 자를 때, 실은 모두 몇 도막이 되는지 구해 보세요.

❿

한 번 / 4도막   두 번 / 7도막   세 번 / 10도막

한 번 자르면 4도막이 되고 한 번 더 자를 때마다 3도막씩 늘어납니다.

따라서 10번 자르면 4+(3×9)=31(도막)이 됩니다.

31 도막

◆ 더하는 수가 일정한 수열의 합을 구하려고 합니다. □ 안에 알맞은 수를 써넣으세요.

⑥ 3+5+7+9+11+13+15+17+19

=(3+19)× 9 ÷2=22× 9 ÷2= 99

⑦ 4+8+12+16+20+24+28

=(4 + 28)× 7 ÷2= 32 × 7 ÷2= 112

⑧ 11+17+23+29+35+41+47+53= 256

=(11+53)×8÷2=256

◆ 바둑돌을 규칙에 따라 늘어놓았습니다. 10번째 모양에서 흰색 바둑돌과 검은색 바둑돌의 수를 각각 구하세요.

⑨

흰색: 1번째 2　2번째 3　3번째 4　…… 10번째 ?
검은색: 　　 1 　　1+2　　 1+2+3

10번째 모양에서 흰색 바둑돌은 11개,
검은색 바둑돌은 1+2+3+……+10=(1+10)×10÷2=55(개)입니다.

흰색 바둑돌: 11 개, 검은색 바둑돌: 55 개

TEST 2 마무리 평가

◆ 규칙을 찾아 빈 곳에 알맞은 모양에 ○표 하세요.

① ●, ▲이 반복됩니다.
노란색, 빨간색이 반복됩니다.

② 1개, 2개, 2개가 반복됩니다.
초록색, 보라색, 노란색이 반복됩니다.

◆ 이어서 올 수열을 찾아 선으로 이어 보세요.

③ 4, 6, 10, 16
더하는 수가 2부터 2씩 커집니다.

④ 9, 1, 8, 2, 7
9의 단 곱셈구구 결과를 숫자 하나씩 나열합니다.

⑤ 2, 3, 5, 8, 13
앞의 두 수의 합이 그 다음 수입니다.

3, 6, 4, 5

21, 34, 55, 89

24, 34, 46, 60

❖ 규칙을 찾아 빈 곳을 알맞게 완성하세요.

❶

❷

● 모양은 ↘방향으로 1칸씩 이동하고, ■ 모양은 ↗방향으로 1칸씩 이동합니다.

● 모양은 ↘방향으로 2칸씩 이동하고, ■ 모양은 ↗방향으로 1칸씩 이동합니다.

❸

↗방향으로 1칸씩 이동하면서 1칸씩 늘어나도록 색칠합니다.

❖ 수열입니다. □ 안에 알맞은 수를 써넣으세요.

④ (1, 1, 2) (1, 2, 3) (1, 2, 3, 4) 1, 2, 3, 4, 1, 2, 3, 4, 5
규칙에 맞게 수를 묶어 봅니다.

⑤ 1, 4, 8, 11, 22, 25, 50, 53, 106 , 109
+ 3, ×2를 반복하며 계산합니다.

⑥ 1, 1, 1, 3, 5, 9, 17, 31, 57, 105
바로 앞의 세 수의 합이 그 다음 수입니다.

58 문제 다: 패턴

❖ 다음 수열의 처음 수부터 17번째 수까지의 합을 구하려고 합니다. □ 안에 알맞은 수를 써넣으세요.

⑦ 2, 4, 6, 8, 10, ...

처음 수는 2, 더하는 수는 2 이므로

17번째 수: 2+(2 × 16)= 34

따라서 처음 수부터 17번째 수까지의 합은

(2+ 34)× 17 ÷2= 36 × 17 ÷2= 306

⑧ 1, 4, 7, 10, 13, ...

처음 수는 1, 더하는 수는 3이므로

17번째 수는 1+(3×16)=49입니다.

따라서 처음 수부터 17번째 수까지의 합은

(1+49)×17÷2=50×17÷2=425

처음 수부터 17번째 수까지의 합: 425

❖ 바둑돌을 규칙에 따라 늘어놓았습니다. 표를 알맞게 채우세요.

⑨

	1번째	2번째	3번째	4번째	......	14번째	15번째
더 많은 바둑돌	흰색	검은색	흰색	검은색	......	검은색	흰색
개수의 차	1	2	3	4	......	14	15
흰색 바둑돌 개수	1	1	6	6	......		
검은색 바둑돌 개수	0	3	3	10	......		

마무리 평가

❖ 규칙을 찾아 빈 곳에 알맞은 모양을 그려 보세요.

❶ 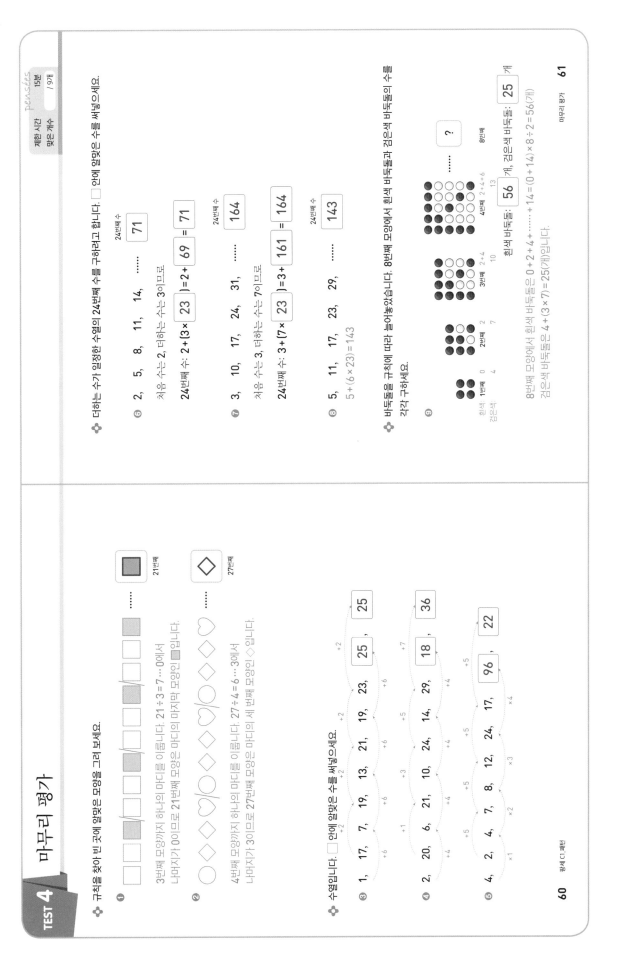 21번째

3번째 모양까지 하나의 마디를 이룹니다. 21÷3=7…0에서 나머지가 0이므로 21번째 모양은 마디의 마지막 모양인 ■ 입니다.

❷ ◇ ○ ♡ ◇ ◇ ♡ ○ ◇ 27번째

4번째 모양까지 하나의 마디를 이룹니다. 27÷4=6…3에서 나머지가 3이므로 27번째 모양은 마디의 세 번째 모양인 ◇ 입니다.

❖ 수열입니다. □ 안에 알맞은 수를 써넣으세요.

❸ 1, 17, 7, 19, 13, 21, 19, 23, [25] , [25]
(+2, +6, +2, +6, +2, +6, +2)

❹ 2, 20, 6, 21, 10, 24, 14, 29, [18] , [36]
(×2, +4, +1, +5, +3, +4, +5, +7)

❺ 4, 2, 4, 7, 8, 12, 24, 17, [96] , [22]
(×1, +5, ×2, +5, ×3, +5, ×4, +5)

❖ 더하는 수가 일정한 수열의 24번째 수를 구하려고 합니다. □ 안에 알맞은 수를 써넣으세요.

❻ 2, 5, 8, 11, 14, ... 24번째 수 [71]

처음 수는 2, 더하는 수는 3이므로

24번째 수: 2+(3× [23])=2+ [69] = [71]

❼ 3, 10, 17, 24, 31, ... 24번째 수 [164]

처음 수는 3, 더하는 수는 7이므로

24번째 수: 3+(7× [23])=3+ [161] = [164]

❽ 5, 11, 17, 23, 29, ... 24번째 수 [143]

5+(6×23)=143

❖ 바둑돌을 규칙에 따라 늘어놓았습니다. 8번째 모양에서 흰색 바둑돌과 검은색 바둑돌의 수를 각각 구하세요.

흰색 1번째 0 2번째 2 3번째 2+4 4번째 2+4+6
검은색 4 7 10 13
...... ? 8번째

8번째 모양에서 흰색 바둑돌은 0+2+4+......+14=(0+14)×8÷2=56(개)

검은색 바둑돌은 4+(3×7)=25(개)입니다.

흰색 바둑돌: [56] 개, 검은색 바둑돌: [25] 개

마무리 평가

마무리 평가

❖ 규칙을 찾아 빈 곳에 알맞은 모양을 그려 보세요.

❶ 색깔이 반복됩니다: 19÷2=9…1
모양이 반복됩니다: 19÷3=6…1
19번째

❷ 색깔이 반복됩니다: 23÷3=7…2
화살표의 방향이 반복됩니다: 23÷4=5…3
23번째

❸ 개수가 반복됩니다: 17÷2=8…1
모양이 반복됩니다: 17÷5=3…2
17번째

❖ 수열입니다. □안에 알맞은 수를 써넣으세요.

❹ 5, 6, 10, 17, 27, 40, 56, 75
더하는 수가 1부터 3씩 커집니다.

❺ 100, 98, 92, 82, 68, 50, 28, 2
빼는 수가 2부터 4씩 커집니다.

❖ 다음 수열의 처음 수부터 14번째 수까지의 합을 구하려고 합니다. □안에 알맞은 수를 써넣으세요.

❻ 3, 7, 11, 15, 19, ……

처음 수는 3, 더하는 수는 4 이므로

14번째 수: 3+(4 × 13)= 55

따라서 처음 수부터 14번째 수까지의 합은

(3+ 55)× 14 ÷2= 58 × 14 ÷2= 406

❼ 6, 8, 10, 12, 14, ……

처음 수부터 14번째 수까지의 합: 266

처음 수는 6, 더하는 수는 20이므로 14번째 수는 6+(2×13)=32입니다.
따라서 처음 수부터 14번째 수까지의 합은 (6+32)×14÷2=38×14÷2=266

❖ 규칙에 따라 원으로 모양을 만들었습니다. 15번째 모양에서 필요한 원의 개수를 구하세요.

❽

1번째   2번째   3번째   4번째 …… 15번째
개수: 1   5   9   13   ?

처음 수는 10이고 4씩 늘어납니다. 따라서 15번째 모양의 원의 개수는
1+(4×14)=57(개)입니다.

15번째 57 개

pensées

pensées

투엠 지식과상상 연구소 ^{since 2013}
교재 소개 및 난이도 안내

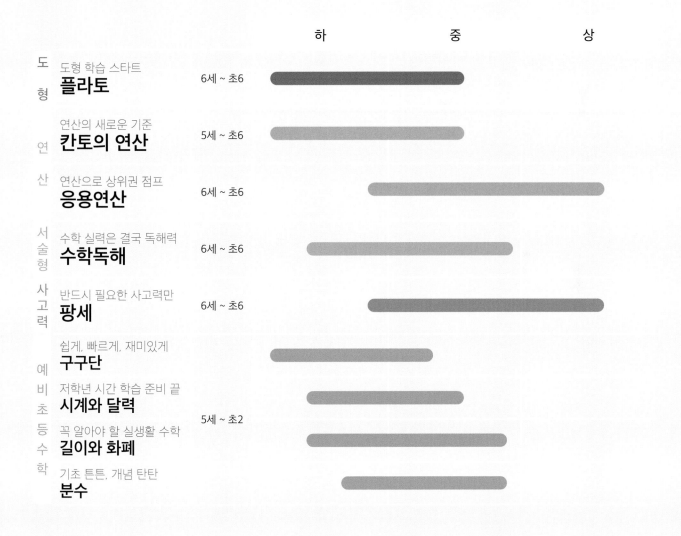

Man is but a reed,
the most feeble thing in nature;
but he is a thinking reed,

"인간은 자연에서 가장 연약한 갈대에 불과하다.
하지만 인간은 생각하는 갈대이다."

Blaise Pascal, 블레즈 파스칼

초등 수학 교구 상자

펜토미노턴

평면 공간감각을 길러주는 회전 펜토미노 퍼즐

 +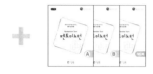

초등학생들이 어려워하는 '평면도형의 이동'을 펜토미노와 패턴블록으로 도형을 직접 돌려 보며 재미있게 해결하는 공간감각 퍼즐입니다.

큐브빌드

입체 공간감각을 길러주는 멀티큐브 퍼즐

 +

머릿속으로 그리기 어려운 입체도형을 쌓기나무와 멀티큐브를 이용하여 직접 만들어 위, 앞, 옆 모양을 관찰하고, 다양한 입체 모양을 만드는 공간감각 퍼즐입니다.

폴리탄

도형 감각을 길러주는 입체 칠교 퍼즐

 +

정사각형을 7조각으로 자른 '입체 칠교'와 직각이등변삼각형을 붙인 '입체 볼로'를 활용하여 평면뿐만 아니라 다양한 입체도형 문제를 해결하는 퍼즐입니다.

트랜스넘버

자유자재로 식을 만드는 멀티 숫자 퍼즐

 +

자유자재로 식을 만들고 이를 변형, 응용하는 활동을 통해 연산 원리와 연산감각을 길러주는 멀티 숫자 퍼즐입니다.

머긴스빙고

수 감각을 길러주는 창의 연산 보드 게임

 +

빙고 게임과 머긴스 게임을 활용하여 수 감각과 연산 능력을 끌어올리고 전략적 사고를 키우는 사고력 보드 게임입니다.

폴리스퀘어

공간감각을 길러주는 입체 폴리오미노 보드 게임

 +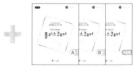

모노미노부터 펜토미노까지의 폴리오미노를 이용하여 다양한 모양을 만들어 보고, 여러 가지 땅따먹기 게임 등을 통해 공간감각을 기를 수 있는 보드 게임입니다.

큐보이드

입체를 펼치고 접는 전개도 퍼즐

 +

여러 가지 모양의 면을 자유롭게 연결하여 접었다 펼치는 활동을 통해 정육면체, 직육면체 전개도의 모든 것을 알아보는 전개도 퍼즐입니다.